Nous remercions le ministère du Patrimoine canadien,
la SODEC et le Conseil des Arts du Canada
de l'aide accordée à notre programme de publication

 Patrimoine   Canadian
canadien   Heritage

Le Conseil des Arts | The Canada Council
du Canada | for the arts
depuis 1957 | since 1957

ainsi que le Gouvernement du Québec
– Programme de crédit d'impôt
pour l'édition de livres
– Gestion SODEC.

Illustration de la couverture :
Luc Normandin

Couverture :
Conception Grafikar

Édition électronique :
Infographie DN

Dépôt légal : 4e trimestre 2003
Bibliothèque nationale du Canada
Bibliothèque nationale du Québec

123456789 IML 09876543

Les temps fourbes

Données de catalogage avant publication (Canada)

Ouimet, Josée, 1954-

    Les temps fourbes : le vol des chimères IV

    (Collection Conquêtes ; 97. Histoire)
    Suite de : Le choc des rêves.
    Pour les jeunes de 12 ans et plus.

    ISBN 2-89051-870-1

    1. Titre II. Titre : Vol des chimères III. Collection : Collection
Conquêtes ; 97. IV. Collection : Collection Conquêtes. Histoire

PS8579.U444T45 2003   jC843'.54   C2003-941651-8
PS9579.U444T45 2003

Josée Ouimet

Les temps fourbes

Le vol des chimères IV

roman

**ÉDITIONS
PIERRE TISSEYRE**

5757, rue Cypihot, Saint-Laurent (Québec) H4S 1R3
Téléphone: (514) 334-2690 – Télécopieur: (514) 334-8395
Courriel: ed.tisseyre@erpi.com

*Le fond du cœur est plus loin
que le bout du monde.*

Proverbe chinois

1

Le retour

— **A**lors, mesdames, contentes de revoir Saint-Malo ?

Assises l'une en face de l'autre sur des banquettes au tissu usé, deux femmes sourient au jeune homme qui chevauche un magnifique alezan, à la porte de leur voiture.

— Je ne sais pas encore, mon fils, répond la comtesse Jacinthe de Bellevoix en se redressant sur son siège. N'eussent été des recommandations de mon médecin, je serais volontiers demeurée à Paris.

— Et toi, Shanhaweh ? questionne encore Pierre de Bellevoix.

La servante d'une trentaine d'années ne répond pas tout de suite. Elle regarde par la fenêtre de la portière, devant laquelle défile un paysage qu'elle n'a revu qu'en rêve. Elle baisse un instant les paupières et hume les parfums de la mer toute proche.

— Shanhaweh, tu dors ?

— Non, monsieur le comte, je ne dors pas, répond-elle d'une voix rauque et discordante en rouvrant les yeux.

— Elle rêve, comme d'habitude ! renchérit la comtesse. Tu le sais bien, toi qui passes tes journées à écouter les histoires abracadabrantes et toutes les sornettes qu'elle peut inventer. Et combien de fois t'ai-je dit que son nom est Marie, pas Shanhaweh !

— Shanhaweh ou Marie, c'est du pareil au même, rétorque Pierre en glissant un sourire complice à sa nourrice et amie.

Cette dernière lance un regard furibond sur celle qui, seize années auparavant, lui a arraché sa liberté.

— Plus que quelques minutes et nous serons à la maison, conclut Pierre en tirant sur la bride de son cheval.

Le jeune homme fait demi-tour et va rejoindre le palefrenier et le jardinier qui ferment le petit cortège.

Shanhaweh reporte son attention sur la ville de Saint-Malo toute proche. Une immense lassitude l'étreint. Pendant toutes ces années

10

de servitude et d'abnégation passées au service de la comtesse, elle a supplié le dieu de ses ancêtres, Isoukeha, de l'aider à retrouver le capitaine Jacques Cartier. Pour la paix de son âme, elle se doit de tout lui avouer : sa honte, sa peine, ses regrets et ses angoisses. Mais d'abord et avant tout, elle doit savoir ce qu'il est advenu de Gabriel Montais, le dernier homme à qui elle se soit donnée par amour et dont le souvenir hante ses jours et ses nuits. Il doit savoir au sujet de Pierre de Bellevoix, son fils, que la comtesse lui a subtilisé par un chantage éhonté.

— À ce que je vois, tu es toujours aussi taciturne en voyage, ma pauvre fille !

Jacinthe de Bellevoix s'évente d'un geste machinal. Elle a beaucoup vieilli. Sa peau, au teint jadis radieux, est terne et grisâtre. Sa bouche demeure continuellement déformée par un rictus nerveux. Son visage, de plus en plus fardé, est constellé de petites taches brunâtres. Une ride de perpétuelle lassitude orne son front.

— Je te demande si tout sera prêt pour la soirée que je compte donner en l'honneur de Pierre ? Es-tu sourde ou idiote ?

Dites sur un ton dur, ces paroles ramènent Shanhaweh à sa triste réalité : esclave de sa pire rivale.

— Tout sera prêt, madame la comtesse.

— Il ne faut pas oublier d'inviter les notables de Saint-Malo. Pierre doit faire bonne impression auprès des magistrats de cette ville.

— Son titre de comte ne lui suffit-il donc pas?

— À la cour de France, peut-être, mais pas ici. La Bretagne est, à mon souvenir, un pays de marchands, de marins et de culs-terreux! Les gentilshommes s'y font rares. De plus en plus rares, même! C'est bien parce que Pierre voulait absolument m'accompagner ici, qu'il s'y trouve. J'aurais mille fois préféré qu'il demeure à la cour, prêt à prendre part à toutes les festivités auxquelles le roi l'aurait assurément convié. Mais que veux-tu! Il a la tête dure! Il veut demeurer auprès de moi afin de veiller à mon rétablissement. Je ne vais surtout pas me plaindre de sa présence. Au contraire!

Jacinthe de Bellevoix soupire bruyamment, replace d'un geste machinal les plis de sa jupe en lorgnant les habitations qui se dessinent au loin.

— Je sens que je vais m'ennuyer à mourir parmi ces rustres!

Provenant de l'avant du cortège, un hurlement tonitruant, suivi des hennissements des chevaux apeurés, fait sursauter les deux femmes. La voiture fait une embardée.

Jacinthe est projetée vers l'avant tandis que Shanhaweh tente, tant bien que mal, de demeurer stable sur son siège. La comtesse atterrit sur la poitrine de sa servante qui la repousse aussitôt. Sa tête heurte la portière, puis elle choit sur son postérieur au fond de la voiture qui stoppe brusquement. Au même moment, Pierre apparaît à la fenêtre.

— Tout va bien? s'inquiète-t-il.

— Moi, ça va, répond Shanhaweh, encore étourdie par le choc.

— Et ma mère?

— La comtesse gît sur le plancher.

Pierre descend de son cheval et ouvre la portière en vitesse. Il reçoit entre ses bras le corps inerte de Jacinthe.

— Vite, des sels!

Shanhaweh s'empresse vers le sac de voyage dans lequel elle met toujours les nombreuses médecines dont sa maîtresse a de plus en plus souvent besoin. Avec précaution, le jeune homme relève sa mère, la dépose sur le siège et appuie sa tête contre le dossier. Il prend ensuite les sels qu'on lui tend, en débouche le flacon et l'agite sous le nez de Jacinthe qui revient à elle lentement.

— Mère, vous vous sentez bien?

— Un rongeur s'est faufilé entre les pattes du cheval de tête qui a eu peur et s'est cabré, explique le palefrenier, essoufflé, qui arrive près de lui. Je crois que…

Jacinthe de Bellevoix porte la main à sa tempe où se dessinent déjà les contours d'une ecchymose, faisant taire le pauvre bougre. Attentif, Pierre se penche au-dessus d'elle.

— Il lui faudrait une compresse, dit Shanhaweh.

— Où en trouver?

Le jeune comte pivote sur ses talons et jette un œil aux alentours.

— Là, je vois le toit de plusieurs chaumières! s'écrie-t-il.

Sans plus tarder, il enfourche sa monture et part au triple galop.

Shanhaweh replace le flacon de sels dans le sac et sort rapidement de la voiture. Dans cet espace confiné, elle étouffe. Dehors, le ciel se couvre de nuages. Le vent qui s'est levé depuis peu remue les herbes hautes que le printemps a gorgées de soleil et de pluie. Déjà juin. Les crépuscules de plus en plus tardifs et les températures clémentes lui ramènent en mémoire une enfance passée à des lieues d'ici, dans un pays situé de l'autre côté de l'océan.

Shanhaweh baisse la tête.

Tant d'années se sont écoulées…

Résignée, elle n'espère plus revoir son pays, même si celui-ci demeure imprimé dans sa chair aussi sûrement qu'une marque au fer rouge. Jamais elle ne pourra oublier tout ce qui l'a façonnée : les forêts, les rivières, le grand fleuve, les froids et les neiges.

Un court instant, le visage tant aimé de Tagondha, son père, se superpose aux paysages bretons. Puis ceux de Cohenaya, de Gabriel Montais et de Jacques Cartier se succèdent l'un après l'autre dans un mirage démentiel.

Que de souvenirs en si peu de temps ! Que de peines ! Que de déchirures…

Shanhaweh relève la tête au bruit du galop qui se rapproche. Son cœur se gonfle d'amour à la vue de ce garçon qui est son unique raison de vivre. Le cheval s'arrête à quelques pas d'elle.

— Dans la chaumière, là-bas, dit-il en désignant de son bras tendu une petite masure en contrebas, vit un vieil apothicaire du nom de Jean-Baptiste. Il saura assurément lui prodiguer des soins.

Le cœur de Shanhaweh ne fait qu'un tour. Serait-ce le même Jean-Baptiste qui a constaté la cause de ses évanouissements le jour où Gabriel a disparu[1] ? Si cela était, il ne devait surtout pas la voir. Encore moins la reconnaître !

---

1. Voir *Les mirages de l'aube*, de la même auteure et dans la même collection.

— Allez-y sans moi. La ville n'est plus très loin et je préfère marcher plutôt que de me retrouver dans la voiture. Il y fait trop chaud. Je vais rendre visite à une très vieille amie qui demeure rue de la Boulangerie. Je vous rejoindrai au manoir.

— Comme tu voudras !

Sans plus attendre, Shanhaweh laisse sa patronne aux bons soins des autres.

Pierre sourit. L'immense besoin de liberté de ce petit bout de femme l'a toujours amusé. Il se plaît à penser que le lait maternel dont elle l'a abreuvé coule toujours dans ses veines. Elle lui a enseigné l'art de vivre en communion avec la nature : dormir sous les étoiles, marcher pieds nus, admirer les fleurs, parler aux arbres et écouter le vent. Au plus loin de ses souvenirs, c'est Shanhaweh qui a pansé ses blessures, qui a veillé à son chevet quand une fièvre l'a tenu trois jours et trois nuits entre vie et trépas, qui lui a fredonné des airs dans une langue qui lui était alors inconnue.

— La langue de mon peuple, lui répondait-elle, lorsque ses questions incessantes venaient à bout de sa patience.

Pierre se rappelle avec émoi leur douce complicité.

— Il ne faut jamais dire à la comtesse que je t'enseigne la langue du peuple des Braves et que, quelquefois, nous dormons dehors,

16

lui avait-elle enjoint, un soir qu'ils étaient étendus l'un près de l'autre, le visage tourné vers le firmament constellé d'étoiles plus brillantes les unes que les autres. Tu dois aussi comprendre qu'en présence de la comtesse, je devrai te vouvoyer.

— C'est d'accord, avait-il promis en grimaçant de plaisir.

Aujourd'hui encore, il garde jalousement ce secret d'enfance comme on garde un bijou fabuleux au fond d'un écrin. La pauvre Shanhaweh serait renvoyée sur-le-champ si la comtesse en avait vent et Pierre ne veut surtout pas qu'elle parte. Il tient trop à elle.

Plus qu'une nourrice ou une servante, elle est sa confidente, son amie. Même s'il a seize ans passés, elle l'écoute encore lui parler de ses petits bonheurs, de ses amours naissantes, de ses peurs, de ses espoirs et de ses rêves. Que deviendrait-il sans elle? La comtesse, sa mère, trop occupée à plaire à tous les gentilshommes qui se pressent encore à sa porte ou dans son lit, n'a répondu que très rarement à l'attention et à l'affection que Pierre lui quémandait sans cesse.

— Suis-moi! ordonne Pierre au cocher, qui, après avoir calmé la bête, se perche de nouveau sur son siège.

Pierre de Bellevoix se penche. Par la fenêtre de la portière, il observe sa mère qui semble somnoler. La frange des cils de ses paupières closes souligne le cerne mauve qui s'accentue de minute en minute.

— En avant, ordonne-t-il.

Avec précaution, le convoi s'ébranle lentement sur le chemin pentu, précédé par l'ombre des oiseaux qui ne sème aucun bruit.

Le jeune comte se retourne un court instant, le temps de croiser le regard de Shanhaweh qui lui fait un léger signe de la main, auquel il répond aussitôt.

2

Le mirage

À l'aube de l'été 1557, dans les rues de Saint-Malo, la foule se presse. Depuis plus deux mois déjà, les morutiers et les baleiniers quittent le port à intervalles réguliers. À bord d'un navire à l'ancre, l'agitation est à son comble. On finit d'y charger des barils de sel dans lesquels on conservera les morues, pêchées à même les riches bancs de Terre-Neuve.

— Ah! que de morutiers! s'exclame André Thevet[1], aumônier de Catherine de

---

1. André Thevet (Angoulême, 1503-Paris,1592). Moine cordelier et voyageur français. Il fut aumônier de Catherine de Médicis, historiographe et cosmographe du roi. Ses principaux écrits furent: *Cosmographie du Levant* (1554) et *La Singularité de la France antarctique* (1571-1575).

Médicis, cosmographe du roi Henri II et ami de Jacques Cartier. Je n'en ai jamais vu autant !

— Il y en a beaucoup, en effet ! rétorque Cartier.

— Les marchands et commerçants qui affrètent ces navires font, à n'en point douter, des affaires d'or !

— À cause de tous les jours de maigre et jeûne imposés par notre sainte Église, le poisson constitue l'une des principales nourritures de base pour tous les catholiques de ce monde. Voilà pourquoi il en faut tant !

— Ah ! le poisson ! Quel délice ! Surtout lorsqu'il est rehaussé d'une sauce au vin blanc, onctueuse et épicée à souhait !

— Votre description m'amène littéralement l'eau à la bouche, le nargue amicalement son ami malouin.

— Mon confesseur ne cesse de me faire miroiter les feux de l'enfer lorsque je lui parle de mes péchés de gourmandise.

André Thevet frotte sa bedaine qui tend le tissu de sa robe de bure.

— C'est un si petit péché que de savourer ce que le Créateur nous donne si généreusement.

Cartier rit de bon cœur devant la mine enfantine de son compagnon. Il reporte ensuite son attention vers les marchands qui, grimoires en main, notent les denrées que les marins transbordent sur les navires. Son sourire disparaît soudain et il devient songeur. Thevet lui en fait aussitôt la remarque :

— Que voilà un regard bien perplexe, mon ami. Quelque chose vous importune-t-il ?

— Depuis que la ville de Saint-Malo m'a chargé de surveiller les marchandises, dont les marchands se plaisent à hausser les prix sans raison valable, je ne sais plus où donner de la tête ! Il en est de même pour les boulangeries, les marchés de la rue de Blaterie et les moulins de Sillon. Ce qui m'amène souvent à passer de longues et innombrables journées à siéger comme juré au tribunal maritime pour des affaires de droit commun ! Je vous l'affirme, mon cher Thevet, il m'a semblé mille fois plus facile de découvrir le Kanata que de m'occuper de toutes les affaires de cette ville.

— Allons, allons ! Ne me dites pas que vous retourneriez bourlinguer sur les mers et affronter les pires dangers plutôt que de jouir de la situation qui est la vôtre ?

— Je suis trop vieux pour l'aventure et tous les écueils qui s'y rattachent. Mais je ne peux me départir de mon attirance pour la mer et ses mirages.

Cartier lève le front vers les navires qui appareillent, avant d'enchaîner :

— Que diriez-vous, mon ami, si je vous avouais que j'aime encore toucher les cordages, sentir l'odeur de la résine chauffée, voir hisser la moindre pinasse et admirer la grand-voile goulue de vent.

— Je vous dirais que vous parlez de la mer comme d'une maîtresse.

— Ma femme, Catherine, me l'a si souvent répété !

Il s'émeut au souvenir de sa tendre épouse qui, toutes ces années de leur union, l'a encouragé et épaulé dans les victoires comme dans les pires défaites. Elle est et sera toujours sa véritable amie, sa muse, son port d'attache…

— Lorsque j'ai appris que le roi Henri II de France a mandaté Durand de Villegagnon en voyage de découverte au Kanata, mon sang n'a fait qu'un tour. J'en étais littéralement mort de jalousie.

Il fait une pause avant de continuer.

— Personne ne se souvient de moi…

— Que si ! Que si ! déclare le moine en brandissant un index vers le ciel. Grâce à votre *Brief récit* et à votre *Livre en matière de cartes marines*, votre œuvre survivra aux siècles.

Jacques Cartier sourit et, d'un mouvement leste de la main, fait comprendre à son vis-à-vis qu'il n'y croit pas tellement.

— À vous mon ami, je peux bien le confesser. Depuis quelque temps, je me repais de la vue des bourgeons dans les pommiers qui bordent le manoir de Limoëlou. Quand l'automne ramène les petits travaux, que les pommes ont été entreposées pour les compotes à faire et les prunes déjà confites sur les claies, j'y trouve, bêtement, un bonheur tranquille.

— On m'a dit aussi que, comme notaire apostolique, vous servez de témoin à plusieurs baptêmes et mariages.

— Si fait.

Les deux complices marchent un moment en silence.

— Avez-vous encore beaucoup de visiteurs, marins et pilotes, qui viennent vous demander conseils pour naviguer sur l'océan ?

— Quelques-uns viennent encore prendre mes avis, en effet. Mais ils ne sont pas tous les bienvenus !

Vous parlez sans doute de Sébastien Cabot[2], le fils de Jean ?

---

2. Sébastien Cabot : navigateur d'origine italienne (Venise, v. 1476 - Londres, 1557). Après la découverte de Terre-Neuve et du Labrador (1497) avec son père Jean Cabot, il tenta de trouver un passage méridional vers les Indes et atteignit ainsi la côte occidentale de l'Amérique du Sud, explora le río de La Plata et le Paraná jusqu'au Paraguay (après 1525). Il a dessiné une mappemonde où figurent ces découvertes.

— Peu après la défaite de l'île de Wight[3], il a eu le culot de me soudoyer pour que je lui fournisse des cartes et des renseignements nécessaires à une expédition au Kanata.

— Que vous lui avez refusés, bien évidemment !

— Je ne suis pas homme à servir l'Anglais !

— Moi, qui n'ai qu'assez peu voyagé, je vous assure que mon séjour de cinq mois chez vous, en 1545, à écouter les récits de vos voyages et surtout les descriptions de tout ce que vous y avez vu, m'a été d'un grand secours pour écrire mon traité sur *La Singularité de la France antarctique*.

— Est-ce donc là le titre de votre prochain ouvrage ?

— En effet.

— C'est un réel plaisir que d'avoir, bien humblement, participé à sa création. J'espère qu'il saura éclairer quelques cerveaux embrumés.

— Tout le monde reconnaît notre générosité et nos efforts des plus louables. Sauf peut-être les rois, et certains gentilshommes bêtes et ignorants.

---

3. Île de Wight : île du sud de l'Angleterre, sur la côte de la Manche, séparée du continent par les détroits du Spithead et de Solent, et qui passa aux mains des Français à plusieurs reprises.

— S'il n'y avait que ceux-là…

— Les propos calomnieux et perfides ne nous ont point épargnés, il est vrai, reprend Thevet. Vous savez que l'on se moque encore de moi à propos de mes écrits hypothétiques sur l'existence des licornes et des unicornes ? Et ce cosmographe concurrent, ce François de Belleforest, qui ne reconnaît pas en mon œuvre la propension à l'universalité ! Tous des ignares !

— L'on m'a nargué aussi à propos des métaux que j'ai rapportés de mon troisième voyage…

— « Faux comme diamants du Canada », oui, je me rappelle avoir entendu ce commentaire à propos des minerais que vous avez présentés au roi et qui n'étaient que pyrite de fer, quartz et autres métaux sans valeur.

— Cet adage me colle à la peau comme une profonde cicatrice.

— Il y a belle lurette que je l'ai entendue. La cour a peut-être la dent longue et s'amuse à écorcher les gens de bonne volonté, mais elle a aussi la mémoire courte. Très courte. Une chance que la reine Catherine de Médicis s'intéresse à la science. Sinon nous serions gouvernés par des gens sans aucune perspective. Sans aucune vision.

— Si le roi avait mandaté un maître orfèvre de participer à ma troisième expédition au Kanata, il n'y aurait pas eu pareil malentendu. Celui-ci aurait pu faire l'expertise des métaux sur place et je n'aurais point été la risée de tout le pays.

Jacques Cartier se tait brusquement et tourne la tête vers les navires sur les ponts desquels s'activent les équipages. Plus sûrement que ne l'aurait fait la pointe d'une épée, les souvenirs le blessent.

Au retour de son troisième et dernier voyage, le roi François Ier ne l'a reçu dans son château d'Amboise que pour lui sourire dédaigneusement. Il entend encore les commentaires sarcastiques murmurés derrière son dos alors que le souverain, contrairement au protocole en usage, lui a fait l'insigne honneur de descendre de son trône et de s'avancer pour lui donner l'accolade; hommage volontaire du souverain envers «son aventurier exemplaire», avait-il dit.

«Pure folie que de vouloir satisfaire les rois», songe Cartier.

Cet honneur ne lui avait été d'aucun secours dans le procès que lui avait intenté l'infâme Jean François de La Rocque, sieur de Roberval, ce dernier osant prétendre que le capitaine malouin lui devait plus de neuf mille livres. À cause de ce scélérat, il s'en était fallu de peu qu'on lui confisquât le manoir de

Limoëlou, ainsi que le verger et la maison de la rue de Buhen. Il avait dû vendre la *Grande-Hermine* afin de rembourser les frais encourus pour sa défense.

« Maudit soit ce Roberval de malheur. »

Jacques Cartier pose la main sur le pommeau de l'épée qui pend à sa ceinture. Les battements répétés de son cœur se répercutent jusqu'à ses tempes. Aujourd'hui encore, la vieille blessure saigne toujours.

Le verdict du procès était tombé, le 21 juin 1544 :

Le tribunal d'amirauté déboute Monsieur de La Rocque, sieur de Roberval, et reconnaît que maître Cartier, sieur de Limoëlou, a justifié l'emploi des crédits royaux et qu'il n'a pas gaspillé un écu royal.

Malgré cela, l'État lui devait toujours une centaine de livres qu'il n'avait jamais touchées. Jacques Cartier serre les dents pour ne pas cracher les paroles remplies de fiel qui roulent dans sa bouche.

— Savez-vous ce qu'il est advenu du sieur de La Rocque ?

— Il s'est, paraît-il, converti au catholicisme, répond l'aumônier. Lui ! Un protestant ! Que dis-je ? Un calviniste de la pire espèce !

— Je vous l'ai déjà dit, cet homme est capable de tout ! Il a su habilement amadouer le roi François Ier. Voilà maintenant qu'il courtise Henri II ! À moins que ce ne soit sa reine...

— Un insidieux personnage, en effet. Avec toutes les atrocités qu'il a soi-disant perpétrées en Nouvelle-France ! On m'a raconté qu'une potence y était élevée en permanence. Il avait imposé un sévère rationnement, composé de porc et de beurre pour le midi, de bœuf et de deux poignées de haricots par personne pour le repas du soir. De plus, trois jours par semaine, les pauvres hères qui l'accompagnaient dans son équipée ne mangeaient que de la morue salée. Il ne faut pas se surprendre des cinquante décès causés, bien évidemment, par le scorbut que vous connûtes si bien. Et que dire de cette histoire rocambolesque au sujet de sa nièce, enceinte de surcroît, qu'il aurait punie en l'abandonnant sur une île aussi déserte que nordique. La pauvre demoiselle ! Ce qu'elle a dû endurer de souffrances et d'angoisses !

— Que Dieu préserve la reine et toutes les personnes qui croiseront son chemin ! laisse tomber Jacques Cartier sur un ton méprisant.

— Par chance Roberval et le reste de son équipage sont revenus sains et saufs. On m'a raconté que le roi vous avait demandé de les aider...

— Le roi m'avait en effet demandé de retourner au Kanata pour les secourir tous, l'interrompt Cartier sur un ton froid. Mais je me suis refusé à mettre en péril des hommes de bien pour sauver ce gentilhomme qui, vous l'avez vous-même remarqué, n'en valait pas la peine.

André Thevet lève les sourcils d'un air soucieux, observant les manœuvres d'un morutier qui quitte les quais.

— Cet homme a fait plus de mal que de bien au projet de colonisation qui était si cher à votre cœur, je vous le concède, mais ceux-là, renchérit-il en désignant les navires qui appareillent pour la traversée de l'Atlantique, sont peut-être en train de l'anéantir tout à fait.

— Les marchands contrôlent presque tout le commerce et ils ne désirent plus qu'une chose : s'enrichir, encore et toujours.

— Les vrais trésors ne sont plus sur les berges des rivières, mais bien plutôt au fond des mers et des forêts.

— La morue et les fourrures, soupire son interlocuteur en replaçant la cordelette qui pend à sa ceinture. Et que dire du tabac ! Je peux me vanter d'avoir été le premier en France à planter la graine de cette plante que j'ai baptisée *herbe angoumoisine*. J'espère bien pouvoir, un jour, en posséder les droits

d'exploitation et en a faire un produit de con-
sommation des plus prisés.

— Prisé ? Vraiment ? Que voilà un jeu de
mot d'esprit bien tourné, mon cher Thevet !
Le prise-t-on ou le fume-t-on à la manière
amérindienne ?

— Le poète Jean Ronsard, à qui j'en ai
procuré quelquefois, m'a dit en avoir usé des
deux manières et que l'une comme l'autre lui
aurait fait le même effet.

Les deux compères rient de bon cœur,
éloignant du même coup les regrets amers
qui, au fil des années, se sont fait un nid au
fond de leur mémoire.

Jacques Cartier pivote d'un quart de tour
et jette un coup d'œil vers des barriques,
alignées tout près. Soudain, il écarquille les
yeux de surprise et blêmit.

— Mais qu'avez-vous, mon ami ? s'inquiète Thevet, qui note son teint livide.

Cartier ne répond pas, hypnotisé par le
mirage qui se joue de lui. À quelques pas,
une jeune femme se penche au-dessus d'un
étal de marchandises à peine déchargées des
navires à l'ancre. Ses cheveux noirs de jais,
retenus en chignon, encadrent un visage large
aux pommettes saillantes. Elle se retourne à
demi, le temps d'observer de ses yeux en
amande le va-et-vient des badauds qui se
pressent sur les quais.

Jacques Cartier porte une main à sa poitrine et se met à respirer avec difficulté. Après plus de vingt ans, il croit revoir Shanhaweh, la jeune indigène qu'il a ramenée d'Amérique au retour de son second voyage[4].

«Ce ne peut être elle! lui crie une voix au fond de lui. Elle a disparu, enlevée par un jeune brigand. Personne ne l'a jamais revue. Personne... »

— Maître Cartier, êtes-vous souffrant? s'inquiète de nouveau l'aumônier. Que vous voilà pâle! Venez vous asseoir un peu.

Joignant le geste à la parole, André Thevet le guide jusqu'à une caisse de bois, tout près. Le Malouin s'y laisse choir. Dans sa poitrine, l'air pénètre difficilement. Il halète. Il baisse la tête pour reprendre ses esprits, mais aussi pour calmer la douleur qui s'y loge; une douleur exacerbée par les regrets et les remords dont il ne s'est jamais départi.

«Nous avons tout tenté, mais elle demeure introuvable. Il faut en faire notre deuil, cher Jacques... », lui avait dit Catherine, sa femme.

Le deuil...

Il a été son ennemi numéro un, après Roberval, et il a dû lui faire face plus souvent qu'à son tour. Il a enterré des alliés, des amis, des rêves. Il a posé un linceul sur des années

---

4. Voir *Le vol des chimères*, de la même auteure et dans la même collection.

de labeur, de recherches et d'espoirs. Il a muselé sa rage et étouffé sa foi lorsqu'il a eu à combattre l'ignorance et la bêtise des dirigeants de ce monde. À mains nues. Sans arme. Sans cri ni tempête…

Le deuil…

Voilà qu'aujourd'hui, ici sur les quais de Saint-Malo, la mort se jouait de sa raison et revenait le hanter en empruntant les traits d'une jeune femme croisée au hasard d'une banale promenade.

Jacques Cartier relève la tête et regarde à gauche, puis à droite. La vision a disparu.

— Vous avez eu une faiblesse, le rassure son ami, agenouillé à ses côtés.

— Oui… Mais c'est terminé, maintenant. Je suis un vieil homme, n'est-ce pas ? laisse tomber le Malouin avec un sourire las.

— Soixante-six ans est, en effet, un âge très honorable. Bien peu de gens peuvent se targuer de vivre aussi longtemps que vous.

— Dans son immense bonté, Dieu m'a donné la chance de me rendre jusqu'à cet âge «honorable», comme vous le mentionnez. Je ne peux que le remercier et me réjouir de pouvoir encore me promener sur les quais et discourir avec vous.

Le vieux capitaine inspire profondément, se relève lentement et replace son épée d'un geste machinal.

— Rentrons. Le repas de dame Catherine va bientôt être servi.

— À la bonne heure ! s'exclame Thevet en se relevant à son tour. J'ai faim !

Bras dessus, bras dessous, les deux compères quittent les quais en direction de la maison de la rue de Buhen.

Mais Cartier garde les yeux baissés de peur d'être, encore une fois, la proie d'une nouvelle hallucination aussi mensongère que douloureuse.

3

Souvenirs...

Shanhaweh marche dans l'ombre des masures. Ses pas la conduisent à travers un dédale de rues et de ruelles toutes plus nauséabondes les unes que les autres. Des immondices jonchent le sol. Les chats, les chiens et les porcs y errent à qui mieux mieux, s'alimentant des restes de table pourrissant sur les pavés. Tout près, passager clandestin débarqué d'un des navires à l'ancre, un gros rat se faufile entre deux amas de détritus. La jeune femme s'arrête enfin devant une maisonnette qu'elle saurait reconnaître entre mille et qui semble noyée dans un lac de silence. Sans attendre, elle frappe trois coups sur la porte close. Après un long moment, une tête blonde émerge de la fenêtre voisine.

— Qui va là? l'interpelle un garçonnet d'une dizaine d'années.

Shanhaweh demeure stupéfaite devant l'apparition.

— J'ai reçu l'ordre de n'ouvrir à personne, continue l'enfant, parce que ma sœur Agnès est malade. Jean-Baptiste, l'apothicaire, l'a mise en quarantaine.

— De quoi souffre-t-elle donc? demande Shanhaweh.

— Je n'en sais rien. Elle fait de la fièvre, éternue et tousse violemment. Elle se sent très fatiguée aussi, tellement fatiguée qu'elle ne peut aider mère à la boulangerie.

À l'évocation de celle qui fut son amie la plus chère, le cœur de Shanhaweh est inondé de joie. Elle va enfin revoir Éloïse qui fut sa confidente durant les onze mois passés au couvent, sa protectrice lorsque Gabriel a failli mourir, l'âme secourable qui, au début de sa grossesse, a séché ses larmes, gardé le secret de ses amours et de sa honte. Celle, surtout, qui a tout tenté pour sauver Gabriel et attirer l'attention du capitaine Cartier, le jour où les navires ont quitté le port.

— Va dire à ta mère que Marie est là.

— Marie? Marie qui?

— Marie, tout simplement.

— D'accord, réplique l'enfant avant de disparaître.

L'Amérindienne pose la main sur sa poitrine. Son cœur bat la chamade. Elle replace une mèche de cheveux qui tombe sur son front en sueur, jette un coup d'œil alentour avant de reporter son attention sur la masure.

Tout y est calme. À l'intérieur, malgré la pénombre, elle croit déceler la présence d'Agnès, probablement étendue sur l'unique couchette qui a recueilli sa détresse, seize ans auparavant.

Sur le plancher, un mouvement furtif retient son attention. Dans un rai de lumière qui vient lécher le parquet, une souris trottine puis disparaît aussitôt, laissant la place à deux pieds nus. Une jeune fille, au visage constellé de taches violettes et aux grands yeux cernés de mauve, enchâssés dans un petit visage à la peau rouge et sèche, s'approche doucement. De ses deux mains, elle prend appui sur le rebord de la fenêtre ouverte.

— Tu es Agnès ? questionne Shanhaweh.

Âgée d'une douzaine d'années, la jeune fille acquiesce d'un léger mouvement de la tête.

L'ovale du visage, la chevelure d'un blond couleur de blé mûr et la forme de la bouche lui rappellent Éloïse à cet âge.

— Tu n'es pas bien ? s'enquiert encore Shanhaweh en posant ses mains sur celles, fiévreuses et tremblantes, de la jeune malade.

37

— Qui me demande?

Venant du fond de la pièce, une voix criarde les fait sursauter toutes deux:

— AGNÈS? MAIS QUE FAIS-TU LÀ! tonne la nouvelle venue. Va te recoucher et, surtout, reste coite dans ton lit. Il ne faut pas tenter le diable! S'il fallait que tu sois contagieuse, comme l'a dit l'apothicaire, c'est toute la ville qui goûtera de sa médecine!

— Éloïse? C'est toi?

— Éloïse? Il y a belle lurette qu'elle n'habite plus ici, Éloïse!

Le visage de la mégère s'encadre dans la fenêtre à côté de celui du garçonnet et lorgne la visiteuse d'un air soupçonneux.

— Ah! Mais... je..., bredouille la pauvre Shanhaweh.

— Je suis Marianne, la femme du boulanger.

— Où est Éloïse, alors?

La mégère prend bien son temps. Elle essuie ses mains poudrées de farine sur son tablier maculé tout en examinant Shanhaweh de la tête aux pieds.

— Il y a longtemps que vous l'avez vue?

— Seize ans.

— Je vois! laisse tomber son interlocutrice. Éloïse est partie. La pauvre! Elle est morte en donnant naissance à ce petit-là.

Joignant le geste à la parole, elle ébouriffe les cheveux du gamin, qui sourit sous la caresse maladroite.

— Mon défunt mari m'a demandée en mariage peu de temps après. Que voulez-vous ! Il ne savait que faire avec un nouveau-né, le pauvre !

Elle prend son temps, renifle un peu, avant de continuer :

— Il y a deux ans, il s'est éteint à son tour. Que Dieu ait son âme !

Une onde de chaleur afflue aux joues de Shanhaweh et la fait vaciller.

— Morte…, répète-t-elle, comme dans un songe.

— Ainsi va la vie ! rétorque la boulangère sans se départir de son flegme. Nous ne sommes rien ici-bas. Que de petites bestioles entre les mains de Dieu !

Shanhaweh recule d'un pas et tourne les talons. Bouleversée, elle quitte la boulangère qui lui crie :

— Elle a été enterrée dans le cimetière, tout près. Mon époux y dort à ses côtés. Vous trouverez leurs noms gravés sur une pierre.

Shanhaweh n'entend plus rien. Elle court à toutes jambes vers le cimetière où elle pourra enfin laisser éclater le chagrin qui lui torture le ventre. Ses yeux brouillés par les larmes, elle ne voit plus les détritus, ni les animaux qui fuient à son approche, ni les gens surpris qui la regardent courir comme si elle avait le diable aux trousses, ni le cavalier qui crie son nom à tue-tête avant de lancer son cheval à sa poursuite.

— SHANHAWEH! SHANHAWEH, AT-TENDS!

La tête appuyée contre l'épaule de Pierre de Bellevoix, Shanhaweh laisse couler sa peine. Devant eux se dresse une pierre tombale sur laquelle les noms d'Éloïse et de son défunt mari Armand sont gravés.

— Cette femme a donc dit vrai.

Shanhaweh ne peut se pardonner d'avoir laissé passer les années sans chercher à savoir ce qu'était devenue sa seule véritable amie.

— Allons, reprends-toi, la sermonne doucement Pierre. Éloïse aurait compris que la distance qui vous a séparées si longtemps était la seule responsable de ton silence.

Shanhaweh ne répond pas, serrant les dents afin de taire la vérité. Jamais elle ne voudrait lui avouer l'atroce chantage dont elle a été victime. Jamais elle ne voudrait compromettre son avenir. Comment pourrait-il en être autrement ? Elle n'est qu'une servante, Sauvageonne de surcroît, âme déracinée et errante, que les dieux s'acharnent à faire souffrir de honte et de désarroi pour avoir trop ou mal aimé.

— Elle a eu deux enfants, m'as-tu dit ?

Shanhaweh acquiesce en silence.

— Je vais voir ce que je peux faire pour eux.

La jeune femme relève la tête et s'éloigne de quelques pas.

— Sa fille, Agnès, est très malade, explique-t-elle. Elle a besoin de soins urgents. Ce ne sont sûrement pas les maigres revenus de sa belle-mère qui peuvent payer les honoraires d'un chirurgien. S'il n'y avait ce vieil apothicaire…

— Jean-Baptiste ? Celui qui a soigné ma mère ?

— Oui, je crois bien que c'est le même. Si ce n'était de sa grande générosité, beaucoup de petites gens seraient morts sans secours.

— Tu le connais donc ! Saurait-il te reconnaître ?

— Assurément.

— Pourquoi ne lui demandes-tu pas de soigner ta gorge. Ta voix devient de plus en plus rauque et inaudible.

— Personne ne peut guérir ma voix. Pas même Jean-Baptiste, ni même les meilleurs chirurgiens de ce pays. Elle s'est brisée un jour de tempête…

Pierre de Bellevoix observe un long moment la servante qui baisse la tête afin d'éviter son regard inquisiteur.

— Tu es la gardienne de tous mes secrets. Pourtant, jamais tu ne m'as fait l'honneur de partager les tiens, lui dit-il d'un ton grave.

— Je t'en ai confié plus d'un.

— Je devine cependant qu'il y en a beaucoup d'autres, là, cachés derrière cette tête de mule.

Il pose le bout de son index sur le front de l'Indienne où de légères rides se creusent déjà. Pareille aux pattes d'un oiseau cherchant la sécurité d'une branche pour s'y reposer un moment, la main de Shanhaweh emprisonne le doigt de ce fils chéri et le garde prisonnier contre son front.

— Il est quelquefois préférable d'enfouir les secrets au plus profond de soi.

— Des secrets qui me concernent?

Libérant son emprise, Shanhaweh fait volte-face et s'engage vers la sortie du cimetière, faussant brusquement compagnie à Pierre, qui demeure immobile et perplexe.

— Dépêchons-nous, lui jette-t-elle par-dessus son épaule. Le repas ne sera pas prêt à temps et la comtesse va encore être furieuse contre moi.

— Ce ne sera pas la première fois !

— Ni la dernière, hélas !

Pierre lui dédie un sourire complice. Shanhaweh lui sourit en retour.

— Pourquoi te laisses-tu ainsi rabrouer par ma mère ?

— Elle est ma maîtresse et je suis sa servante. C'est dans l'ordre des choses.

— Depuis que je suis en âge de comprendre, je vois bien qu'elle prend un réel plaisir à t'humilier devant moi et tous les autres gens de la maison. Elle se plaît à te faire des reproches pour des erreurs que tu n'as même pas commises. Elle te tourne en ridicule chaque fois que tu ouvres la bouche, imitant le son de ta voix.

— C'est ainsi, Pierre, n'en rajoute pas !

— Comment veux-tu que je ferme les yeux sur les injustices dont tu es victime ? Comment veux-tu que j'ignore les vilenies qu'elle colporte à ton sujet ? Comment veux-tu que je me taise encore alors que sa méchanceté te rend de plus en plus malheureuse ?

— Je ne suis pas malheureuse.

— Alors, pourquoi cette tristesse dans ton regard depuis notre arrivée en Bretagne ?

Shanhaweh inspire profondément et prend bien son temps, mesurant chacune de ses paroles pour que celles-ci n'aggravent pas davantage le courroux de Pierre envers sa mère.

— Les souvenirs refont surface à la vue de ces quais, de ces rues et de ces maisons. Certains furent heureux et d'autres malheureux. Ta mère fait partie de ces derniers. Voilà tout !

— Et moi ? questionne Pierre, dont le ton de Shanhaweh calme peu à peu l'irritation. Pourquoi ne m'appelles-tu pas *aguo* (mon enfant) comme quand j'étais petit ?

— Tu es un homme maintenant, et comte de surcroît.

— N'as-tu donc pas de cœur pour vouloir ainsi oublier tous les beaux souvenirs qui nous lient l'un à l'autre ?

Shanhaweh se retourne brusquement. Elle le fixe de ses prunelles sombres, habitées d'une lueur si étrange qu'il baisse la tête, honteux des paroles dictées par sa jeunesse stupide.

La voix basse et rauque de Shanhaweh s'élève dans le silence :

— *Agousay…* (vilain). Du plus profond de ma mémoire, nul souvenir ne m'est plus doux que le jour où je t'ai tenu entre mes bras pour la première fois.

À cet aveu, des larmes amères gonflent ses paupières. Elle force le pas sans plus un mot.

Docile, Pierre suit cette femme, dont les épaules se voûtent déjà sous le poids de lourds chagrins secrets.

4

Le courroux

— **V**ous voilà enfin, tous les deux! Il était temps! Le repas n'est pas prêt et j'ai faim! Le médecin t'a pourtant bien dit que je devais manger à heures fixes, ni trop gras ni trop salé. Combien de fois dois-je le répéter?

La comtesse lance un regard furibond à sa servante qui s'empresse vers les cuisines en ravalant les pensées haineuses qui grondent dans sa tête.

— Ne la réprimandez pas, mère, l'exhorte son fils, Marie a du chagrin.

— Du chagrin? Vraiment! Et pourquoi donc?

— Elle a appris, aujourd'hui même, la mort de sa plus chère amie.

La comtesse se redresse sur son séant et dodeline de la tête d'un air inquiet.

— Une amie, dis-tu ? Quel est son nom ?

— Éloïse, je crois.

— La servante du boulanger ? Celui qui avait pignon sur rue près des quais ?

— Elle aurait été sa femme et la mère de deux de ses enfants.

— C'est la Sauvageonne qui t'a raconté cette fable ?

Pierre de Bellevoix ne peut cacher l'exaspération que ces insultes provoquent en lui. Il croise les bras sur sa poitrine et tourne le dos à cette femme incapable d'une quelconque compassion pour les petites gens du peuple et encore moins pour le sort misérable qui est leur lot de tous les jours.

— Quand saurez-vous montrer quelque pitié ?

— Pour qui ? Pour de pauvres gens qui se satisfont de leur sort comme un chien s'acharne sur un os déjà rongé ?

Elle le contourne et lui fait face.

— Mon enfance a été une lutte constante contre la misère, les sacrifices, les privations et les malheurs. Je m'en suis sortie à coups de griffe et de morsure. Toute ma vie, je me suis battue pour conserver ce que j'ai acquis à force d'humiliation ! Ils n'ont qu'à faire de même pour s'en sortir à leur tour !

— Tous n'ont pas eu la chance d'être belle comme vous et de savoir user de leurs charmes pour bâtir leur fortune.

— Tu me juges !

— Je ne vous juge pas. Je ne fais que dire la vérité.

— Quelle vérité crois-tu donc connaître que je ne connais pas ? fulmine la comtesse.

— Votre conduite a toujours été…

— Honteuse ? Abjecte ? le coupe Jacinthe, rouge de colère.

— Vous avez des secrets, mère. Et je crois que j'aime mieux ne pas les connaître.

— Vraiment ? Et Marie, elle ? Quels sont donc les secrets qu'elle garde bien enfouis dans sa tête de Sauvage ?

— Elle ne m'en a jamais fait part.

— Tant mieux ! Car tu aurais tôt fait de ne plus vouloir te montrer à ses côtés dans les rues de cette ville, tellement la honte te submergerait.

— Que vous a-t-elle fait pour attirer ainsi votre perpétuel courroux ?

— J'ai toutes les raisons de la haïr. Toutes les raisons de la punir…

— Qu'a-t-elle donc fait de si infâme qui ne puisse être pardonné ?

— Tu ne comprendrais pas…

— Je ne suis plus un enfant !

La comtesse inspire profondément avant de continuer, en détachant chaque syllabe :

— Marie est une men-teu-se, une vo-leu-se…

— C'est faux !

— De plus, elle a forniqué avec plusieurs galants, souillant ainsi l'honneur de cette maison, et elle…

— De toute ma vie, je n'ai vu Shanhaweh répondre aux avances des courtisans qui, depuis toujours, se traînent les pieds dans votre salon et ne rêvent que de retrousser ses jupons !

— Quelle belle innocence que voilà ! Mon pauvre Pierre, comme tu la connais mal !

— C'est vous, plutôt, que je connais de mieux en mieux ! explose le jeune comte.

— Attention, Pierre, n'oublie pas que tu parles à ta mère !

Sous l'emprise de la colère, Pierre de Bellevoix serre les poings. Oh ! comme il lui serait doux, une fois pour toutes, de cracher le venin qui l'empoisonne !

Enfant, il adorait cette femme, immensément belle, intensément voluptueuse. Il la revoit encore, parée de ses bijoux, flamboyante dans ses robes aux décolletés plongeants qui laissaient à tous le loisir d'admirer sa gorge magnifique. Oui, l'enfant en lui l'avait adulée…

Puis il y avait eu cette nuit terrible. La nuit de ses treize ans… Après avoir festoyé pour son anniversaire, elle avait quitté la salle à manger du château au bras d'un riche marchand. Parti à sa recherche, Pierre l'avait surprise dans le jardin, nue et offerte à cet homme aussi vieux que répugnant.

Cette nuit-là, son enfance avait basculé avec les ardeurs bien involontaires de son corps. La honte et les remords avaient creusé un fossé entre la raison et la folie qui l'assaillaient presque chaque nuit. Il se réveillait alors, suant, haletant, les draps souillés, l'âme meurtrie de la désirer et de la détester si profondément…

— Ma mère ? Vraiment ? lance-t-il d'une voix étranglée. Sont-ce vos seins qui ont étanché ma soif ? Vos bras qui m'ont tenu et réconforté au plus fort de mes souffrances ? Votre rire qui a chassé mes idées noires et mes peurs ? Vos chants qui ont bercé mes nuits et égayé mes jours sombres ?

— Tais-toi !

— Ou est-ce plutôt une mère qui n'a jamais eu le temps de se parer du joyau de la maternité, trop occupée qu'elle était à plaire à tout venant, à prendre part à toutes les bacchanales dont ma jeunesse a été témoin, et même à se vautrer dans le lit avec le premier venu ?

La main de la comtesse s'abat sur la joue de Pierre qui recule sous le soufflet. Celui-ci porte la main à son visage enflammé par l'humiliation et la colère.

— Vous êtes odieuse !

— C'est toi qui es odieux ! Me traiter de la sorte ! Moi qui ne songe qu'à ton avenir et qui m'efforce de te tailler une place dans le monde et de faire fructifier ton héritage !

— Je ne veux point de cet héritage honteux, amassé grâce à la luxure et à la méchanceté ! Je ne veux pas de votre argent, de vos terres et de vos titres, madame la comtesse ! Je préfère quitter ce pays plutôt que de vivre désormais dans la honte et la perfidie ! hurle Pierre, hors de lui.

— Vraiment ! Et où iras-tu, dis-moi ?

— Découvrir le Nouveau Monde.

— C'est Marie qui t'a mis ces idées dans la tête ?

— Non ! C'est vous ! Ici ! Maintenant !

— Tu divagues. Demain, tu auras changé d'avis et tu viendras me demander pardon pour les paroles offensantes que tu m'as crachées à la figure, comme tu l'aurais fait à une vulgaire ribaude.

Délaissant Pierre qui fulmine toujours, la comtesse se dirige vers un fauteuil dans lequel elle se laisse choir.

— Tu es bien le fils de ton père ! ajoute-t-elle sur un ton dédaigneux. Lui aussi n'avait que des rêves de voyages et d'aventures. Il n'a su récolter que des chimères.

— S'il a échoué, c'est qu'il n'a sans doute pas été capable de se sortir à temps de vos griffes mortelles. Moi, je saurai le faire.

— Est-ce là un souhait, mon fils ? le nargue-t-elle.

— Non. Une promesse.

— Ne me provoque pas, Pierre. Tu ne sais pas de quoi je suis capable.

Pierre prend bien son temps, la toise intensément en silence, puis pivote sur ses talons pour se diriger sans plus tarder vers la porte de la salle à manger.

— Le repas est servi, lance Jacinthe d'une voix chevrotante.

— Je ne pourrai rien avaler. Votre seule présence me donne envie de vomir.

Pierre quitte l'appartement, laissant Jacinthe de Bellevoix livide de colère et d'appréhension.

5

Les années

— **Q**ue diriez-vous de quitter la maison de la rue de Buhen pour aller nous reposer au manoir de Limoëlou ? demande Catherine des Granches.

Assis en face d'elle, Cartier trempe un quignon de pain dans un bol rempli d'un liquide chaud, duquel s'exhale une vapeur blanche.

— Je ne sais pas, rétorque-t-il avant de prendre une bouchée.

Du bout des doigts, Catherine ramasse les miettes de pain éparpillées sur la table avant de les rassembler en un petit tas qu'elle fixe d'un air absent.

Depuis quelques semaines, son mari est plus taciturne que jamais. Il semble inquiet et fatigué. La présence de l'aumônier Thevet a été agréable, certes, mais les longues heures passées à discourir avec lui, jusque tard dans la nuit, ont grugé les maigres forces qui le quittent chaque jour.

Catherine sait que les minutes de bonheur lui sont désormais comptées. Qu'il sera écourté par la maladie qu'elle sent poindre dans le regard terne qui se pose sur elle, dans le sourire las qui fait se tendre la peau des joues creuses, dans les mains, presque continuellement jointes, qu'il garde appuyées sur son ventre comme des voiles repliées.

— Que vous voilà songeuse, ma mie. Quelles idées noires tourbillonnent donc derrière votre si joli front?

Catherine sourit tristement.

— Je m'inquiète pour vous, Jacques.

— Inquiète? Mais pourquoi donc?

— Vous semblez si las.

— Qui ne le serait pas, à mon âge! Je n'ai plus vingt ans!

D'un coup sec, Jacques Cartier arrache un morceau de pain à la miche avant de le tremper de nouveau dans le bol. Sous l'examen pourtant discret de sa femme, il baisse les paupières et se rembrunit.

Il est vrai que, ces derniers temps, une fatigue immense l'écrase. Quelquefois, il lui semble même que son cœur s'arrête avant de se remettre à battre follement. Certaines nuits, quand le sommeil le fuit, ses os n'en finissent plus de le faire souffrir.

Cartier passe et repasse sa langue sur sa mâchoire supérieure où le scorbut, contracté lors de son deuxième voyage au Kanata, a laissé quelques séquelles. Il a perdu plusieurs dents. Mais ce n'est rien comparé à ce qu'il perdra bientôt…

En proie à un véritable tourment, il délaisse son repas, se lève brusquement avant d'aller se placer près de la fenêtre ouverte. Il a chaud. La canicule de juillet a déposé sur la ville entière son manteau de fer. De loin en loin, le cri d'un oiseau de mer perce le silence.

Le Malouin détache un peu son manteau, passe une main sur sa nuque où des perles de sueur brillent un instant dans l'éclat du jour. Catherine s'approche de lui. Elle pose doucement sa tête sur son épaule. Cartier ne bouge pas. Rongé par les préoccupations, il ferme les yeux et inspire profondément.

Il se sent trahi par cette galère de vie qui lui échappe et dont il n'est plus maître à bord. Trahi par tous ses rêves qui, l'un après l'autre, se sont envolés comme autant de merles moqueurs. Trahi par les ignorants. Les scélérats… Trahi par la peur qu'il éprouve, en ce moment même, alors qu'il ne trouve plus de solutions au calvaire des malades et des mourants qui se multiplient. Trahi par sa propre mémoire qui lui fait revoir, au hasard des rues, le visage de la petite Sauvageonne, Shanhaweh.

La douceur d'une caresse sur sa joue lui fait rouvrir les yeux.

— Venez vous rasseoir, s'inquiète Catherine.

— Je préfère demeurer ici. L'air y est plus frais.

— Il serait encore plus frais au manoir…

— Je ne peux pas encore m'absenter de Saint-Malo. Les affaires…

— Y a-t-il affaire plus urgente que de prendre soin de vous? De nous?

Cartier ne répond pas tout de suite.

Bien sûr, au manoir, il serait à l'abri et il coulerait des heures tranquilles. Doucement. Pieusement. Sans bigoterie aucune, entouré de ses neveux auxquels il a cédé le monopole du trafic des fourrures au Canada. Mais d'autre part, comme les jours seraient longs sans la présence de ses amis: aumôniers, conseillers maritimes, notables et marchands avec lesquels il essaie de trouver des solutions pour les gens de cette ville qui l'a vu naître.

Si longs…

Malgré la vieillesse et la mort qui le talonnent, il sent encore la passion le dévorer. Il se sait investi d'un devoir auquel il ne peut se soustraire. Il doit être là.

Tant de choses restent à faire…

Vingt-cinq ans auparavant, le besoin viscéral de partir à la découverte d'une nouvelle route pour atteindre le Cathay était devenu le but ultime de sa vie. Il n'avait pas eu peur, se sachant doublement investi d'un pouvoir royal et d'un devoir divin : faire connaître au reste du monde l'existence de ce pays, aux confins du monde, et faire connaître Dieu aux indigènes. Il n'avait peut-être pas enrichi le royaume de France d'or, d'argent et d'épices comme le désiraient tant les souverains. De plus, l'Histoire lui saurait gré de ne pas avoir perpétré de massacres comme l'avaient fait tant de conquérants espagnols.

Los conquistadores…

Il avait été un découvreur avisé, juste et loyal. Il n'avait pas trouvé la route vers la Chine, mais avait offert à son pays, sur un plateau, un immense territoire où vivaient encore, en toute liberté, des bêtes sauvages et des enfants nus.

Trois coups légers, frappés à la porte, les font se retourner.

— Oui ?

Une servante passe la tête par l'entre-bâillement.

— Maître Cartier, quatre gentilshommes demandent à vous parler.

Ses sourcils forment un V menaçant sur son front.

— Ne peuvent-ils revenir une autre fois ? interroge Catherine, contrariée.

Toujours en quête d'un appui de son mari, elle lève la tête au bruit sourd de la porte qui s'ouvre.

— Maître Cartier, dit l'individu qui surgit dans la pièce sans y être invité, il est de toute urgence que nous vous rencontrions.

Catherine des Granches coule un regard vers son mari qui ne bouge pas. Elle note alors le pli soucieux qui barre son front, ses lèvres pincées, tremblotantes même, comme s'il retenait une envie de pleurer.

— Jacques…

D'un geste de la main, il l'invite à se taire, relève le menton, comme il le fait chaque fois qu'il doit être courageux et, après avoir serré furtivement les doigts de sa femme adorée, s'éloigne de la fenêtre.

— Entrez, sieur de Jansonnet. Que me vaut votre présence aussi impromptue dans ma demeure ?

6

Les terribles prophéties

— **V**ous en êtes bien certain ?

— Hélas, oui ! Les preuves sont irréfutables.

— Que Dieu nous garde ! La peste est dans nos murs !

Jacques Cartier arpente la pièce d'un pas saccadé, faisant gémir les planches du parquet. Son cœur sonne comme les cloches de la cathédrale. Devant lui, les notables immobiles attendent ses conseils.

Dans la maison, la vie bourdonne à mi-voix. D'un geste imperceptible, Jacques Cartier se signe de la croix.

Dehors, pareil à un grand drap déployé, une pluie d'orage s'est mise à tomber sur les passants, drue, cinglante comme la morsure d'une guêpe.

La tête inclinée sous le poids de l'horreur, Cartier ne sait pas quoi dire.

— L'hygiène déficiente en est la principale cause, continue Jansonnet. Combien de fois n'avons-nous pas demandé qu'un règlement interdise les porcs dans les rues?

— Ce ne sont pas les porcs qui sont la cause de cette maladie, rétorque un homme qui se tient en retrait.

— Et que serait cette cause, monsieur de la Chancelière?

— Les rats.

— Les rats?

— Oui, les rats et autres rongeurs qui pullulent et que transportent tous ces navires qui entrent au port, jour et nuit. Leurs puces infectent les humains qu'ils piquent. Ne les avez-vous point remarqués, au cours de vos nombreuses promenades sur les quais?

Jacques Cartier lève la tête vers lui.

— Non, je n'ai rien remarqué.

— Pourtant, ils sont là. Partout. Ils quittent les navires français, portugais et espagnols avant de se fondre dans l'obscurité des rues infectes. Ils s'installent à demeure dans

les maisons et y font leur nid. N'oubliez pas
la prophétie de Michel de Notre-Dame[1]!

— Ne me dites pas que vous donnez foi
aux élucubrations prophétiques de cet hurlu-
berlu? objecte le sieur de Rauvillois.

— N'avez-vous pas lu ses *Centuries
astrologiques*, publiées il y a deux ans, et
dans lesquelles il prédit les pires calamités à
venir?

— Foutaises que tout cela!

— Je n'y crois pas non plus, renchérit le
sieur de Mocantour. Et vous, maître Cartier?

Cartier prend bien son temps avant de
répondre. Il passe une main tavelée par les
embruns dans l'épaisse barbe qui orne toujours
son menton. Tournant la tête vers la fenêtre,
son regard tombe sur le bleu grisâtre de la
mer qui, avec son mouvement perpétuel, le
ramène à la réalité.

Le scorbut… La peste… La mort qui rôde.
Encore et toujours elle!

— Jacques?

Le visage grave et indéchiffrable, Catherine
touche le coude de son mari.

— Venez vous asseoir.

Docile, Jacques Cartier lui obéit sans dire
un mot.

---

1. Plus connu sous le nom de Nostradamus : astrologue
   et médecin français (Saint-Rémy-de-Provence, 1503-
   Salon 1566)

— Michel de Notre-Dame a longuement étudié ce terrible fléau avec son confrère Louis Serres? poursuit le sieur de la Chancelière. Comment pouvez-vous fermer les yeux sur ces révélations?

— Ce Notre-Dame n'est qu'un fieffé illuminé qui se sert de sa position de médecin auprès d'Henri II pour courtiser la reine! rétorque Rauvillois en haussant le ton.

— Vous insultez la reine!

— MESSIEURS! tonne Cartier. Cessez donc vos querelles stériles! Nous devons trouver une solution. Et vite!

Les gentilshommes se taisent aussitôt, reconnaissant vaine cette altercation de mauvais goût.

— Que disent les médecins? demande alors le capitaine.

— Hélas! répond aussitôt le sieur de Mocantour. Ils partagent la crédulité des petites gens, attribuant l'origine du fléau au dérèglement des saisons, aux inondations… mais, surtout, ils donnent foi à une cause surnaturelle que les clercs de la sainte Église s'amusent à propager comme vent de tempête: «un fléau que Dieu s'est réservé pour la punition de nos péchés».

— Vous devriez les voir lorsqu'ils se déplacent pour visiter les malades, explique le sieur de Jansonnet. Ils portent un habit de cuir rouge, ou taillé dans une étoffe supposée rendue imperméable à la peste.

— Comme si l'on pouvait être imperméable à la peste ! ironise Rauvillois.

— Leur visage est recouvert d'une sorte de cagoule avec un long faux nez de cuir rempli d'aromates, continue Jansonnet. Ils portent un chapeau avec des hublots protégeant leurs yeux.

— Que voilà donc de macabres guignols ! Ainsi déguisés, ne font-ils pas plus de peur que de bien aux gens qu'ils visitent ? interroge le sieur de la Chancelière.

— Ils ne sont pas plus redoutables que les prophéties de votre astrologue ! réplique Rauvillois.

— Les écrits de Michel de Notre-Dame ne sont connus que de ceux qui sont à même de comprendre le latin ! s'insurge de la Chancelière. Tandis que les médecins, tout un chacun peut les voir déambuler les rues et surtout entendre le son des clochettes et des cymbales qu'ils portent aux pieds pour éloigner d'eux les pauvres indigents égarés qui ont le malheur de croiser leur chemin.

— J'ai moi-même aperçu l'un d'eux, ajoute le sieur de Jansonnet. Pour tout vous avouer, le seul aspect de cet homme aurait suffi à rendre malade un homme sain.

La réplique amène quelques sourires sur les visages des hommes rassemblés, détendant un instant l'atmosphère lourde de menaces.

Par le biais des écueils et des dures épreuves à venir, ces hommes se savent liés les uns aux autres. Membres involontaires d'un équipage voguant sur un navire à la dérive, ils voient une horrible tempête se dessiner à l'horizon… Une tempête qui laissera dans son sillage une mer couleur de sang, dont l'odeur sera pestilentielle. Monstrueuse…

Jacques Cartier se lève et marche vers une table sur laquelle repose un livre ouvert. Tout près, fichée dans un écritoire de bois tendre, une plume l'attend. Le Malouin s'en empare et la trempe aussitôt dans l'encrier avant d'inscrire quelques mots sur la feuille devant lui. Pendant un instant, seul le grattement de la plume sur le parchemin troue le silence qui pèse sur les amis réunis. Pareil à un ricanement léger, celui-ci se fait de plus en plus rapide. De plus en plus insistant.

— Nous devons être très vigilants, commence Cartier d'une voix sourde. Des sentinelles seront postées aux portes de la ville et sur les quais pendant que d'autres sillonneront les rues. Il leur faudra signaler à un chirurgien-barbier ou à un médecin quiconque présentera des symptômes de la maladie.

— Et si la personne refuse de se soumettre? s'enquiert le sieur de Rauvillois.

— Elle se verra tout simplement refuser le droit de demeurer dans l'enceinte de Saint-Malo, laisse tomber Cartier avant de replacer la plume dans l'écritoire.

— Portez cette missive au premier magistrat de Saint-Malo.

Il tend la lettre au sieur de Jansonnet, qui s'empresse de la saisir.

— … Et dites-lui que la vie des habitants de cette ville est désormais entre ses mains.

7

Pitié !

Six semaines se sont écoulées. Six semaines où Shanhaweh a trimé dur, du matin au soir, pour satisfaire les caprices de la comtesse qui la traite avec plus de rudesse que d'habitude.

Les préparatifs en vue de la réception vont bon train. Plusieurs notables et riches commerçants de la ville y ont été conviés. Le mois de juillet, avec son soleil de plomb et sa canicule, a plongé la ville entière dans une torpeur dont la servante arrive à peine à se défendre. Dans l'air lourd et saturé d'humidité stagnent les relents nauséabonds des détritus qui salissent toujours les pavés. Au moins, les porcs n'y errent plus. Seuls les chiens et les chats y circulent encore librement.

Au détour d'une rue, Shanhaweh longe une maisonnette dont aucune fenêtre ne perce le mur. Une odeur forte et âcre flotte dans l'air. La jeune femme pose une main en paravent sur son nez et force le pas. À un jet de pierre de là, un homme surgit d'une maison dont il referme la porte à toute vitesse.

Sous son costume de cuir rouge, semblable à de l'huile, dégouline un liquide visqueux qui tache l'étoffe recouvrant ses chevilles. Il tourne la tête vers Shanhaweh. Stupéfaite et apeurée par cette apparition d'un autre monde, elle stoppe net.

La servante aperçoit alors les morceaux de coton qui lui sortent des narines, les lunettes posées sur ses yeux. Sans lui accorder la moindre attention, la silhouette carnavalesque se penche au-dessus d'un seau rempli d'une peinture aussi rouge que le sang et y plonge un pinceau avant de dessiner une croix sur la porte qu'il vient de refermer.

Shanhaweh pose sa main sur son cœur. Elle s'adosse au mur pour ne pas tomber. Jamais encore elle n'a imaginé pareil diable !

Tournant au coin d'une rue, une femme aperçoit l'individu. Du panier qu'elle vient de laisser choir s'échappent des victuailles qui roulent sur le sol. Elle pose ses mains sur sa poitrine et se met à pousser des cris d'orfraie :

En proie à un mauvais pressentiment, Shanhaweh frissonne.

«Ces oiseaux, ces ombres, cette lumière… Sont-ce là de mauvais présages?»

Enfant, dans les forêts d'Amérique, elle savait reconnaître les signes que les dieux lui envoyaient. Elle savait les déchiffrer et les interpréter. Mais ici, elle ne sait plus que comprendre.

À ses côtés, la femme se crispe un peu.

— Ma fille…, geint-elle comme dans un songe éveillé.

Shanhaweh reporte son attention sur le vol de corneilles.

Venu de la mer, un coup de vent balaie un instant l'onde de chaleur qui enfièvre sa mémoire. Pareille à un baiser, la brise légère caresse son front et lui fait baisser la tête. Derrière ses paupières à demi closes, le doux visage de son fils se dessine en filigrane. Elle admire son menton volontaire, ses cheveux couleur de jais, ses yeux d'un brun profond, son sourire généreux et bon, copie exacte de celui de son grand-père.

Une émotion subite empourpre ses joues.

«Tagondha aurait été fier de lui, songe-t-elle. Gabriel aussi… »

La peste, qui est maintenant le lot des moins nantis, saura-t-elle épargner les plus riches ? L'idée que Pierre soit victime du terrible fléau la terrorise. Elle serre les dents et ordonne, plus qu'elle ne prie, aux dieux de son peuple :

« Gardez mon fils en vie. Je vous donne ma vie en échange », marmonne-t-elle dans sa langue natale.

Au détour d'une rue, accroupie devant la porte fermée d'un bordel, une fille de joie l'observe d'un air hagard. Au-dessus de sa tête, une croix rouge est peinte sur la cloison.

Shanhaweh dévisage la ribaude. Son visage cramoisi est parsemé de taches violettes. Non loin de là, des ordures gisent dans une mare d'eau croupissante qui se déverse lentement jusqu'à un minuscule soupirail.

L'Amérindienne retient un haut-le-cœur et bifurque à gauche, entraînant avec elle la mère éplorée.

— Où m'emmenez-vous ? interroge cette dernière.

— Dans un endroit où vous pourrez vous reposer et reprendre un peu vos esprits.

Les deux femmes quittent le quartier désormais marqué du seau rouge de la mort.

8

L'erreur

Jacinthe de Bellevoix se contemple dans le miroir. Elle caresse sa tempe où l'ecchymose est tout à fait disparue. Sa main descend jusqu'à sa joue, glisse sur sa gorge que le décolleté de la robe révèle amplement.

Elle se trouve belle.

Combien d'amants a-t-elle eus? Quinze? Vingt? Trente? Elle ne les a point comptés. Chose certaine, chacun d'entre eux l'a comblée de cadeaux qui l'ont avantageusement gardée à l'abri de l'indigence.

La belle dame s'empare d'une houppette et, d'un geste mille fois répété, applique un peu de fard sur ses joues.

L'image que lui renvoie le miroir lui sourit.

Jacinthe de Bellevoix est très fière de sa réussite sociale. Elle possède une confortable fortune en écus sonnants, en titres et en terres.

Deux coups frappés à la porte la font se pencher davantage vers son miroir.

— Entre, je suis presque prête.

Pierre fait son apparition dans la pièce.

— Les invités sont-ils tous là ? lui demande-t-elle en tapotant les volants qui ornent le corsage de sa robe.

— Quelques-uns seulement. Plusieurs ont envoyé un messager pour nous informer qu'ils seront absents.

Jacinthe de Bellevoix se retourne brusquement. Sa main accroche un flacon de parfum qui va s'écraser sur le plancher dans un bruit de cristal.

— Absents ? Mais pourquoi donc ?

— Ils sont souffrants.

— Mensonges que tout cela !

La comtesse se lève et fait les cent pas en se tordant les mains d'un geste rageur.

— Mensonges, mensonges…, répète-t-elle. Ils ne veulent pas venir. Voilà tout ! Nous ne sommes pas assez bien pour eux ? C'est cela ?

— La maladie rôde et les gens n'osent sortir de chez eux, de peur d'en être victimes à leur tour. Voilà tout !

Jacinthe émet un petit rire méprisant.

— Allons donc! Les bordels et les tavernes regorgent de gais lurons. Ces messieurs n'en sont-ils pas les clients? Le risque de contagion y est-il moins important! Alors, comment osent-ils prétendre qu'ici, dans une maison aussi bien tenue que la mienne, ils seraient la proie de la maladie?

Elle s'arrête près de la fenêtre, soulève le rideau et fixe un coin du jardin où un buisson de rhododendrons frémit sous le vent.

Lui revient aussitôt en mémoire un soir de l'année 1540. Un jeune mendiant avait fait irruption dans sa voiture et, sous la menace d'un fusil, il lui avait raflé son collier et les quelques écus qu'elle tenait dans son réticule. Plus encore, il avait détroussé son cœur et surtout son âme.

Comme elle l'avait aimé, ce Gabriel Montais! À s'en déchirer. À s'en parjurer... Il était le seul souvenir lumineux de sa triste vie. Il voulait tout lui donner. Elle lui avait tout pris. Puis était venu le jour où il avait fui avec une autre femme...

La comtesse se tourne vers Pierre, ce fils illégitime de Gabriel et de Shanhaweh, qui se tient près de la porte.

«Lui, au moins, il est à moi. Rien qu'à moi... »

Jacinthe redresse le buste, relève le menton, prête à entrer dans la bataille.

— Combien de gentilshommes ont eu l'audace de venir à notre soirée?

— Cinq, mère!

— Eh bien! Soyons de bons hôtes et allons les rejoindre au salon.

Elle tend la main vers son fils qui lui offre son bras.

— Suis-je belle?

— Oui, madame.

Satisfaite, Jacinthe se penche et dépose un baiser furtif sur les lèvres du jeune homme qui reste coi. Elle ne peut s'empêcher de rire de son air embarrassé.

Du revers de la main, Pierre de Bellevoix essuie vivement sa bouche souillée de rouge avant de quitter la pièce, l'air maussade.

Dans une chambre située sous les combles, une femme alitée est secouée de grands frissons. À son chevet, Shanhaweh ne sait plus quoi faire.

À l'étage du bas, dans la salle à manger, la soirée bat son plein. Les rires et les éclats de voix qui parviennent jusqu'à la servante la rassurent et l'angoissent tout à la fois.

Shanhaweh s'est volontairement terrée dans sa chambrette afin de se soustraire aux regards des notables invités à la soirée, qui n'auraient pas été sans se questionner sur cette servante aux traits indigènes.

« Et si certains d'entre eux révélaient ma présence au capitaine Cartier avant que je n'aie le loisir de le faire moi-même ? » songet-elle, désemparée.

Sur le lit, la pauvresse se met soudain à délirer.

— Ma fille… Marianne, ma petite… ma petite…

Voilà bientôt deux jours que Shanhaweh a ramené cette femme et lui a généreusement prêté son lit. Malgré cela, la femme n'a presque pas dormi. La forte fièvre qui la terrasse, conjuguée à son chagrin extrême, se transforme peu à peu en délire. Dans son cou et sous ses aisselles gonflées, des pustules ont fait leur apparition. Une soif ardente la dévore et son corps, qui se colore en jaune, exhale une sueur forte et visqueuse.

Des haut-le-cœur secouent l'indigente et, le corps entier frissonnant, elle vomit en râlant.

Pareille à une marée de tempête, une nausée s'empare de Shanhaweh qui quitte en courant cette chambre où la mort s'installe peu à peu. Une main sur la bouche et l'autre sur le cœur, elle dévale l'escalier à toute vitesse et sort de la maison. Ses pas la mènent dans un coin du jardin où une douce fraîcheur l'enveloppe aussitôt.

Se sachant à l'abri des regards, Shanhaweh tombe à genoux avant de s'allonger dans l'herbe, ventre contre terre. Comme une naufragée agrippée à un morceau d'épave à la dérive, la servante enfonce ses ongles dans la terre ameublie par les bons soins de Marcel, le jardinier. Un sanglot de désespoir gonfle sa poitrine et roule jusque dans sa gorge nouée. Elle ouvre la bouche, mais aucun son n'en sort. Des larmes perlent entre ses paupières closes. Elle pleure. Longtemps.

Plus encore que le jour où elle a été offerte en cadeau au capitaine Cartier, elle se sent vaincue, anéantie. L'ennemi n'a plus le même visage à la peau pâle et couvert de poils. Non… Ici, l'ennemi revêt le masque hideux de la mort. Celle qui fait mal. Celle qui enlève la dignité. Celle qui n'a pas de limite et qui est plus forte que tout…

Shanhaweh enlève les épingles qui retiennent ses cheveux en chignon et secoue la tête avant de se tourner sur le dos. Sa chevelure de jais forme une auréole sur le tapis vert. La jeune femme étend ensuite les bras de chaque côté de son corps. Elle pose son regard sur une étoile plus scintillante que les autres et laisse la fraîcheur de la nuit l'apaiser. Le grésillement d'un grillon la rassure tandis qu'au-dessus de sa tête, les ramures d'un marronnier valsent dans le vent.

Envahie par la nostalgie, elle se met à fredonner.

Sourdes et rauques au début, les notes deviennent de plus en plus claires, de plus en plus sonores. Oubliant le temps et l'endroit où elle est, Shanhaweh se met à chanter dans la langue de son peuple. Elle chante sa peine. Une peine amère qui s'écoule de ses yeux comme un torrent. Elle voudrait danser aussi, comme elle le faisait, enfant, autour d'un feu qui faisait fuir les ombres terrifiantes d'une nuit trop noire. Mais elle ne le peut pas. Sa nuit à elle est beaucoup trop profonde, et aucun bivouac ne saurait la combler de lumière.

Sa voix s'élève longtemps dans le jardin, étouffée par les éclats de rires des convives gavés de bonne chère et de bon vin.

Seule dans son monde, elle n'entend pas les pas qui s'approchent. Elle ne voit pas la silhouette se découpant sur le clair-obscur de la nuit qui pose sur elle un regard ébahi.

9

Le témoin

— C'est là.

— Vous en êtes sûr ?

— Puisque je te le dis !

Shanhaweh hésite sur le pas de la porte d'une taverne mal famée d'où lui parviennent des rires, des cris et des jurons retentissants. Elle tourne la tête dans tous les sens.

À cette heure de la nuit, les quais sont déserts. Dans le rayon de lune qui vient lécher les pavés, la servante cherche une réponse à son interrogation.

« Pourquoi suis-je venue jusqu'ici ? Quelle folie m'a poussée à suivre cet inconnu et à lui accorder ma confiance ? »

— Viens, viens ! lui intime l'individu dont l'énorme nez est marbré de rouge et de bleu.

Il porte une casaque de marin. Des cheveux d'un blond douteux s'échappent de sous son bonnet de laine. Ses mains aux ongles crasseux gesticulent sans cesse.

— C'est lui, là-bas, annonce-t-il enfin en désignant du doigt un homme vautré sur une table.

Shanhaweh hésite avant d'entrer. Elle examine un moment celui qu'elle est venue rencontrer. Une chevelure hirsute cache la moitié de son visage. Près de lui, une femme au corsage délacé lui verse un pichet d'eau sur la tête. L'homme se redresse vivement en lançant un juron tonitruant qui fait rire la ribaude de plus belle.

— C'est Michel de Blois, continue le compagnon de Shanhaweh. On le surnomme «l'étrangleur» parce qu'il a étranglé ses deux femmes qui le coiffaient du chapeau des cocus. En 1542, il était sur le navire de Jacques Cartier, comme prisonnier.

À l'évocation de ce nom, le cœur de Shanhaweh ne fait qu'un tour. Serait-ce possible que les dieux l'exaucent enfin! Après toutes ces années!

Un vent d'espoir souffle dans son cerveau en feu. Un vertige la surprend et elle ne sent plus l'odeur avinée qui flotte dans ce lieu; elle ne voit plus les seins nus des filles de joie qui gloussent de plaisir; elle n'entend plus les rires, les cris ni la voix de ce messager, tombé du ciel, qui a entendu sa mélopée et qui l'invite à entrer avec force gestes dans la taverne.

Ce dernier, Fernand Boulay, avait fait partie de l'équipage de Jean François de La Rocque, sieur de Roberval, et avait purgé sa peine dans cette colonie du Nouveau Monde. Il y avait connu les splendeurs et les misères des saisons, mais aussi le peuple généreux qui l'habitait et qui chantait dans une langue inconnue. Cette langue et ce chant, il les avait entendus à nouveau, ce soir, dans un jardin de Bretagne. Poussé par la curiosité, il n'avait pu s'empêcher d'en découvrir l'origine. Contrevenant aux règles, il avait pénétré dans le jardin de cette belle demeure et s'y s'était aventuré en tapinois. Au détour d'un bosquet de rhododendrons, il l'avait vue.

Pareille à une bête apeurée, Shanhaweh s'était relevée en vitesse, prête à s'enfuir. De son côté, Fernand avait retraité de quelques pas. Puis l'un et l'autre s'étaient toisés longuement, sans un mot. Sans un sourire.

C'est Shanhaweh qui l'avait questionné la première :

— Que me voulez-vous ? avait-elle demandé de sa voix discordante.

Fernand lui avait alors parlé de son périple en terre d'Amérique alors qu'il n'était qu'un paria. Du chant qui avait ravivé des souvenirs douloureux. De la pulsion qui l'avait saisi et lui avait fait franchir la grille du jardin. De ce je-ne-sais-quoi qui le poussait à vouloir à tout prix lui faire rencontrer un certain Michel.

L'Amérindienne l'avait suivi comme un automate. Sans penser. S'en remettant au sort qui plaçait ce messager sur sa route.

— Ça va ? s'enquiert Fernand.

Shanhaweh acquiesce en silence.

Elle relève le front et pénètre dans la taverne sans plus attendre. Négligeant les regards brillants qui s'attardent sur sa poitrine et ses hanches, la servante s'avance vers Michel qui secoue la tête en la voyant s'approcher. Un sourire canaille étire sa bouche auréolée d'une barbe dense.

— Tiens donc ! Que voilà une bien jolie donzelle ! Viens ! Viens ici un petit moment !

Du plat de la main, il tape à plusieurs reprises sur sa cuisse, l'invitant à y prendre place.

— Je ne suis pas une fille de joie, réplique Shanhaweh, qui garde une distance respectable entre elle et la table, derrière laquelle le dénommé Michel se redresse un peu plus.

— Allons, allons ! rétorque ce dernier en prenant à témoin les buveurs rassemblés. Ici, il n'y entre que des filles de joie.

Des rires gras résonnent sous le plafond bas.

— Je dois vous parler, continue Shanhaweh.

— Qu'est-ce qu'une jolie fille a tant à
dire ? Ta plantureuse beauté parle amplement
pour toi, va !

De la table voisine s'élèvent des propos
lubriques qui font rougir la servante jusqu'à
la racine des cheveux.

— C'est à propos de Gabriel Montais.

Michel se tait brusquement. Il dépose vivement le gobelet d'étain qu'il vient de porter
à ses lèvres. Des gouttes de vin en jaillissent
avant d'éclabousser la table, dessinant une
fleur aux pétales d'un rouge sang.

— Quelqu'un m'a dit que vous étiez avec
lui, sur la *Grande-Hermine*, il y a seize ans.

— On t'a mal informée, petite.

— C'est Fernand qui…

— Fernand raconte n'importe quoi ! Il a
le ciboulot dérangé.

Sans crier gare, un homme ivre, tout près,
empoigne le bas de la robe de Shanhaweh et
retrousse son jupon. Sa main vagabonde un
court instant sous le tissu avant que celle de
Shanhaweh ne s'abatte sur son visage avec
force.

— AGGOUSAY ! s'exclame la jeune
femme.

Rouge d'indignation, Shanhaweh se retourne vers Michel.

— Qu'est devenu Gabriel Montais ?

Après un moment d'hésitation, il lui fait une place sur le banc près de lui et l'invite à s'y asseoir.

— Prisonnier emmené dans la colonie pénitentiaire de Nouvelle-France, j'ai bien connu Gabriel Montais. Jacques Cartier l'a laissé dans un village, non loin de Stadaconé, pour y apprendre la langue indigène. Moi, j'ai continué avec le reste de l'équipage. Nous avons tenté, sans succès, de traverser les foutus rapides qui nous coupaient la route vers le Cathay. À notre retour, le village était abandonné et Gabriel Montais avait disparu.

Il avale une rasade de vin :

— Après avoir fouillé les bois environnants, des matelots ont découvert le corps de Julien, son compagnon d'infortune, que la marée basse avait laissé à découvert tout près de là. Tous ont conclu que Gabriel avait été tué, lui aussi, par les Amérindiens ou dévoré par des bêtes.

Il boit de nouveau une grande gorgée :

— Un guerrier, en particulier, le détestait ouvertement. Dès le premier jour où nous avons mis pied à terre sur les berges de Stadaconé, il a attaqué Gabriel avec un couteau. On a tous cru qu'il lui avait probablement réglé son compte.

Il laisse tomber son gobelet sur la table et essaie de réconforter Shanhaweh dont les yeux brillent de larmes.

— Ne prends pas cet air-là, petite! Il ne faut pas pleurer les morts et les disparus. Il y a tant de pauvres bougres, bien vivants, qui ne demandent qu'à te faire sourire.

Se penchant vers elle, il lui entoure la taille de son bras et plaque ses lèvres sur les siennes. La jeune femme en frémit de dégoût. Ce baiser volé lui ramène le goût amer d'une nuit où Cohenaya lui avait arraché le goût d'aimer. Toutes griffes dehors, Shanhaweh lacère la joue de Michel qui recule en hurlant. Il porte les mains à sa peau meurtrie sur laquelle perlent déjà des gouttes de sang.

Bien décidé à quitter ce lieu où elle n'a plus rien à faire désormais, la servante se lève en vitesse. Plus rapide qu'elle, Michel l'attrape par le poignet. Prise au piège, Shanhaweh se débat comme un oiseau pris dans un filet. Elle donne des coups de pied sur les jambes de son agresseur qui ne lâche pas facilement prise. Autour d'eux, les buveurs se sont rassemblés, criant, huant et chahutant.

Le combat est inégal. Michel gagne du terrain et réussit à coller la jeune femme contre sa poitrine. Puis, d'un croc-en-jambe, il lui fait perdre l'équilibre, la faisant choir sur ses genoux. Puis, aussi sûrement que l'aurait fait une camisole de force, il l'emprisonne dans l'étau de ses bras.

Shanhaweh ne sait plus quoi faire ni à quels dieux se vouer. Tant bien que mal, elle tente de garder un équilibre précaire sur les cuisses de cet homme qui lui répugne au plus haut point. Derrière elle, une femme à l'haleine avinée se penche et lui chuchote à l'oreille :

— Laisse-toi faire, la belle. Michel ne te fera pas de mal.

À la recherche d'une arme quelconque, Shanhaweh étend la main au-dessus de la table. Sa main frôle un pichet qu'elle empoigne aussitôt avant de l'abattre à plusieurs reprises sur la tête de son agresseur.

Sous le choc, l'homme cesse aussitôt de rire et écarquille les yeux de surprise. Son emprise se relâche et sa tête se pose sur la poitrine de la servante qui s'empresse de s'en libérer. Elle se relève vivement et s'enfuit vers la porte.

Le bruit mat de la tête de Michel heurtant le bois de la table la fait se retourner à demi.

Dans la salle surchauffée, les témoins de cette rixe fixent cette femme au teint cuivré, qui prend ses jambes à son cou et quitte la taverne comme si elle avait le diable aux trousses.

10

La faute

— MAIS À QUOI AS-TU DONC PENSÉ ?
Jacinthe de Bellevoix marche de long en large, en joignant ses mains gantées de dentelle.

— UNE MALADE ! SOUS MON TOIT ! TU VEUX MA MORT ?

Shanhaweh subit l'invective de la comtesse sans broncher. Elle garde les yeux fixés sur le bout de ses chaussures. Pour une fois, sa patronne a raison. Elle a été fort imprudente d'emmener cette femme dans son lit. Son cœur noble et généreux lui a dicté sa conduite alors que sa raison lui a grandement fait défaut.

— Si nous sommes tous victimes de la peste, ce sera TA faute ! glapit Jacinthe.

Pierre, qui apparaît soudain dans la pièce, s'interpose.

— Ah non ! Vous vous disputez encore !

— Il y a de quoi ! Imagine-toi donc que cette idiote a donné asile à une pestiférée !

Pierre se tourne vers sa nourrice, quêtant du regard sa propre confession. Shanhaweh garde la tête baissée, et cet aveu muet attise la colère de la comtesse, qui prend Pierre à témoin :

— Tu le vois, maintenant, que j'avais raison ! Une bonne à rien ! Une ingrate ! Une sotte ! À cause d'elle, la mort nous guette tous !

Hébété, Pierre fixe tour à tour sa mère en furie, qui fait toujours les cent pas dans la pièce, et sa nourrice, immobile, les mains jointes sur son tablier immaculé. Il voit les larmes qui marbrent ses joues que le soleil d'été a teintés de cuivre.

Il ne comprend pas qu'elle ait pu faire une chose aussi déraisonnable. Certes, il connaît son âme charitable, sa grande générosité, son empathie même, mais cette bonne action n'est pas du même registre que de donner du pain aux indigents ou encore d'aider un enfant. Sans le savoir, Shanhaweh a donné la main à la Mort elle-même en la personne d'une femme contagieuse.

Toujours immobile, l'Amérindienne subit sans riposter la vindicte de Jacinthe, qui crie de plus en plus fort :

— SOTTE ! TRIPLE SOTTE ! vocifère-t-elle.

Elle s'approche si près de sa servante que leur souffle se confond. Elle lève un index accusateur qu'elle brandit devant le nez de Shanhaweh avant de le frapper contre sa tempe.

— Tu n'as pas plus de cervelle qu'un pigeon, ma pauvre fille ! Tu aurais dû demeurer dans ta forêt, avec les animaux dont tu es assurément issue !

La main de Shanhaweh s'abat sur la joue de celle qui lui inspire la plus grande haine.

Jacinthe recule sous le soufflet et l'affront. Dardant sur sa servante un regard de feu, elle se jette à son cou, toutes griffes dehors.

C'est le début d'une lutte qui a commencé au fond de leur cœur il y a très longtemps. Trop longtemps...

Shanhaweh frappe avec toute la force de la haine qui l'habite et qui se renforce au contact de la peau trop blanche de cette femme qui lui a tout pris. Elle la frappe à la poitrine, au visage, lui lacère la peau du cou et lui tire les cheveux.

De son côté, Jacinthe de Bellevoix riposte avec une ardeur peu commune, esquivant tant bien que mal les assauts de son adversaire, lui assénant des coups de poing et des coups de pied qui la font vaciller.

— Cessez donc! les implore Pierre en essayant de s'interposer.

Les deux femmes ne l'écoutent pas. Le choc de leurs rêves déçus submerge tout.

Shanhaweh frappe la comtesse au menton. Celle-ci chancelle. Un goût métallique emplit sa bouche, un goût de sang qui la fait cracher à la figure de celle qu'elle maudit de toute son âme.

— CHIENNE!

Esquivant à la dernière minute un coup de poing de son adversaire, la comtesse lui fait un croc-en-jambe. Shanhaweh perd l'équilibre et choit sur le sol. Sa rivale se penche au-dessus d'elle et la fixe longuement.

Le regard torve de Jacinthe est pareil à la froide brûlure de la glace effleurant la peau. Shanhaweh sent un frisson lui parcourir l'échine. Elle a peur… Comme au jour où, le cœur enchaîné, elle a vu disparaître dans le ventre de la *Grande-Hermine* l'homme qu'elle aimait. Le pouvoir de Jacinthe de Bellevoix se referme sur elle comme un étau. Les prunelles dilatées, que cette femme fixe sur elle, ont quelque chose de prédateur et de sauvage, comme ceux d'un félin dans la nuit.

94

— Chienne…, répète Jacinthe dans un murmure rauque en hochant la tête d'un air lugubre. Cette fois, tu me le paieras. Et très cher…

La comtesse se relève si brusquement qu'elle en perd presque l'équilibre. Elle empoigne sa jupe, fait volte-face et, la tête haute, quitte la pièce dans un froufrou de tissu. Toujours allongée sur le parquet, Shan-haweh évite le regard plein de courroux que son fils pose sur elle.

11

Le señor Alvarez

Aux aurores, les quais de Saint-Malo s'animent. Le miaulement plaintif d'un chat retentit dans l'air saturé d'humidité. Un léger brouillard flotte au-dessus des filets que les pêcheurs ont délaissés. D'une taverne, non loin, des rires, suivis du bruit des gobelets d'étain sur le bois des tables, se répercutent en échos.

Shanhaweh serre son châle autour de ses épaules et allonge le pas. Elle évite de patauger dans les flaques d'eau glauque. Des larmes d'impuissance se fraient un chemin entre ses cils baissés.

Lorsqu'elle a quitté la maison de sa patronne, elle s'est juré que, désormais, rien ni personne ne la forcerait à y remettre les pieds. Elle a assez souffert. Elle a assez payé. Jamais plus elle n'acceptera de plier l'échine. Jamais plus elle ne se comportera en chien docile.

Elle revoit le visage de Pierre, ses sourcils froncés, ses lèvres pincées, son œil accusateur…

Un pincement au cœur la fait se voûter un peu plus.

Pour la première fois, depuis la naissance de ce fils tant chéri, elle est victime de son courroux.

Après la bagarre, Pierre est resté de glace, ne prenant parti ni pour l'une ni pour l'autre. Mais plus grave encore, il n'a point compati à son malheur, ne lui a point tendu la main pour l'aider à se relever, ne l'a point consolée, comme il en avait pourtant l'habitude. Pour la première fois, il l'a regardée en maître, elle, la simple servante. Et il l'a appelée Marie…

Shanhaweh porte la main à son front. Plus forte que la douleur physique, une meurtrissure sans nom blesse son cœur. Un sanglot monte à sa gorge et l'étouffe. Elle a mal. Terriblement mal…

Shanhaweh pénètre dans la taverne, où quelques fêtards cuvent leur vin. Elle se glisse jusqu'à une table, se laisse choir sur le banc avant de lever la main vers la patronne qui s'approche aussitôt.

— Une chope de bière, commande Shanhaweh.

— Vous attendez quelqu'un ?

— Non.

— Ah bon !

La bonne femme repart en s'essuyant les mains sur son tablier maculé.

Shanhaweh baisse la tête, fuyant l'intérêt manifeste des curieux. Des chuchotements traversent la salle comme la brise. Elle ferme les yeux. Pareille à une vague déferlante, une lassitude immense la submerge.

Que va-t-elle devenir, maintenant ? Qui saura l'aider ? Éloïse n'est plus. Pierre ne veut plus d'elle. Comment pourra-t-elle survivre à cette solitude amère et à un chagrin aussi profond qu'un gouffre ?

Le bruit d'un pichet qu'on dépose sur la table la fait se ressaisir.

— Ça fait un liard.

— Je n'ai pas d'argent.

La femme ramasse le pot rempli à ras bord d'une bière à l'odeur forte et repart en direction de l'âtre où dore une volaille.

— Tu mettras ça sur le compte de la comtesse de Bellevoix dont je suis la servante, lui crie Shanhaweh.

La tavernière revient sur ses pas, repose le pichet sur la table ainsi qu'un gobelet d'étain.

— Un mari jaloux ? interroge-t-elle en désignant du menton l'ecchymose qui maquille l'œil droit de sa cliente.

— Oui. C'est ça ! laisse tomber Shanhaweh qui ne veut pas engager la conversation.

— Ils sont tous pareils !

Elle retourne se poster devant l'âtre et active la broche sur laquelle un volatile est empalé et dont la chair, sous la chaleur, prend une teinte dorée et appétissante.

Shanhaweh se verse une rasade de bière qu'elle avale presque d'un seul trait. La fraîcheur du liquide lui fait du bien. Elle s'en verse une deuxième ration, puis une troisième qu'elle vide en deux gorgées. Elle pousse un profond soupir avant d'empoigner le pichet pour la quatrième fois quand, soudain, venue de nulle part, une main arrête son geste.

— Une jolie fille ne doit pas boire ainsi ! lui dit une voix chaude aux accents modulés. Du moins, pas seule !

Shanhaweh ose un regard vers l'importun.

C'est un homme de bonne stature. Ses cheveux, retenus par un ruban bleu pâle, sont aussi noirs que la nuit. Une fine barbe de la même couleur souligne le contour de son menton volontaire. Il lui sourit.

— Permettez-moi de me présenter, continue-t-il en relâchant son poignet. Señor Alvarez, pour vous servir.

Il pose le plat de sa main sur sa poitrine et salue en se pliant à demi.

— Vous m'invitez à boire avec vous? questionne-t-il en se redressant.

Sans attendre la réponse, il prend place sur le banc, face à Shanhaweh.

— Vous venez des Amériques, n'est-ce pas? Ça se voit à la couleur de votre peau, lui dit-il, tout de go.

Shanhaweh ne répond pas. Elle essaie tant bien que mal de réfréner les battements de son cœur affolé. La gorge nouée, elle boit une rasade pour se donner du temps et de l'assurance. Elle ferme les yeux à demi et observe à travers ses cils cet individu à l'air assuré.

— Parlez-vous français? *Habla espanol*? continue l'intrus.

— …

— Je suis à la recherche d'une Indigène, comme vous…

— Pour quoi faire?

Sa voix éraillée surprend son interlocuteur qui lève un sourcil et lisse sa barbichette d'un geste nerveux.

— J'ai besoin d'une interprète, répond-il enfin. Quelqu'un qui parle la langue des Sauvages du Kanata.

Cette requête sidère la servante. Pareil à un fil d'Ariane, un mince espoir se fraie un chemin dans le labyrinthe de ses émotions. Se pourrait-il qu'un des siens soit ici, à Saint-Malo? À quelques pas, peut-être!

— Il y a environ dix mois, lors de mon passage près de l'île aux Basques... vous connaissez?

Shanhaweh fait non de la tête.

— C'est une île, en plein milieu du grand fleuve qui sillonne le Kanata. Les chasseurs de baleines et les pêcheurs basques y ont érigé un four pour y faire brûler la graisse de baleine, explique le señor Alvarez. Alors que je levais l'ancre, un indigène s'est approché de mon navire et m'a offert ça.

Il dépose sur la table une pépite d'or, grosse comme un jaune d'œuf.

— Il a fait comprendre à mon interprète qui était à bord que si je l'emmenais à Saint-Malo, il me dirait où, à mon prochain voyage au Kanata, je trouverais quantité de pépites de ce genre.

— En quoi votre histoire me regarde-t-elle? rétorque Shanhaweh.

— Mon interprète est mort.

— La peste?

— Non. La variole. Et je crains fort que le guerrier l'ait contractée, lui aussi. C'est fou

102

comme cette maladie terrasse facilement ces indigènes !

— Laissez donc ce malheureux mourir en paix, répond Shanhaweh en faisant mine de vouloir se lever.

— Je dois savoir où se trouve cet or ! s'exclame le señor, stoppant l'élan de la servante.

L'éclat de voix attire l'attention des clients qui tournent vers eux des mines surprises.

— Je suis sûr que vous saurez le mettre en confiance, continue le señor Alvarez en baissant le ton.

— Mais que devrais-je lui dire ?

— Vous le questionnerez sur l'endroit où se trouve l'or.

— Il refusera assurément de confier ce secret à l'étrangère que je suis.

— Qui sait ! Peut-être, au contraire, se laissera-t-il enfin aller à la confidence !

Shanhaweh ne réplique plus. Ses pensées vagabondes la ramènent un instant sur les rives d'un autre continent.

Elle revoit son enfance dans son village, parmi ceux de sa race. Après toutes ces années vécues parmi les hommes blancs, elle n'a utilisé que quelques rudiments de la langue de son peuple pour les transmettre à son fils, Pierre. Ce soir, un caprice du destin lui donne la possibilité de renouer avec le passé. De faire une trêve avec l'oubli.

Qui sait…

En assistant ce guerrier dans la mort, apaisera-t-elle enfin les remords, les regrets, les chagrins ? Une vague de chaleur empourpre ses joues à la pensée de revoir un des siens. Mais le temps d'un battement de cœur, un doute l'assaille.

— Qui me prouve que vous dites vrai ?

Le señor Alvarez se signe de la croix et lève une main.

— Je vous jure, sur la tête de ma sainte mère défunte, que je vous dis la stricte vérité.

Afin de gagner du temps, Shanhaweh boit une gorgée de bière. Sa solitude lui pèse comme une chape de plomb. Ce matin qui se lève n'est peut-être que le début d'un long calvaire à errer de par les rues de cette ville. Où pourrait-elle se réfugier désormais ?

Soudain, une idée folle traverse son cerveau embrumé par l'alcool.

— Connaissez-vous le capitaine Jacques Cartier ? demande-t-elle.

— De nom seulement.

— Si je vous rends ce service, en échange, je veux que, dès aujourd'hui, vous me conduisiez à lui.

Le señor Alvarez lisse un instant sa barbe fine.

— C'est trop tôt.

— Je vous donne un jour. Pas plus !

— Marché conclu !

Sans plus attendre, Alvarez attrape la pépite d'or et la glisse dans l'escarcelle qui pend à sa ceinture. Puis les nouveaux complices quittent l'établissement avant de se perdre dans la foule qui commence à envahir les quais.

12

Dans les bras
de Dante

Sur le pont du navire, les matelots s'activent déjà.

— C'est par ici.

À la suite du señor Alvarez, Shanhaweh se dirige vers l'écoutille qui relie le pont à l'entrepont. De cette dernière s'exhale une forte odeur de sueur et de pourriture. Shanhaweh se couvre le nez de sa main. De son autre main, elle ramasse sa jupe et entreprend de descendre l'échelle de bois. Des ombres vacillantes dessinent des arabesques folles sur les murs. Lorsque son pied touche enfin le plancher, la servante enfouit son visage dans le creux de son bras replié.

107

Ce navire est très semblable à la *Grande-Hermine* sur laquelle elle a voyagé en compagnie des onze guerriers que le capitaine Cartier avait amenés avec lui, contre leur gré, en 1536.

— Il est ici, chuchote le señor Alvarez en allumant une lampe à huile de baleine.

Shanhaweh contourne le carré rempli de sable, au-dessus duquel pend le chaudron du cuisinier, enjambe des nattes et des couvertures sur lesquelles gisent pêle-mêle pichets et gobelets renversés, avant de s'arrêter près de l'une d'elles, sur laquelle un homme est allongé. Dans la pénombre, la jeune femme cherche à voir son visage. Elle se penche à demi, retenant sa jupe afin que celle-ci ne soit pas contaminée par la peau couverte de pustules de l'inconnu. La poitrine de ce dernier se soulève de façon irrégulière ; ses mains s'agitent spasmodiquement, ses jambes longues et musclées tremblent.

— Aaaaah…

Le râle la fait reculer.

Dans un spasme affreux, le malade cambre les reins et tourne la tête sur le côté. Ses longs cheveux, couleur de jais, sont striés de blanc.

— Parle-lui, incite le señor, visiblement impatient.

Afin d'être bien entendue, Shanhaweh s'agenouille près du corps décharné comme celui d'un oiseau famélique.

— *Aignaz*, commence-t-elle. Je suis Shanhaweh. Je viens du peuple des Braves. Mon père était Tagondha, *sagamo* du village d'Achelacy, près de Stadaconé…

Un sifflement, suivi d'un râle, la fait taire d'un coup sec. Le malade se dresse sur son séant et la dévisage de ses yeux exorbités.

— OH !

Dans la demi-obscurité de cette anti-chambre de l'enfer, Shanhaweh croit reconnaître soudain le visage de Cohenaya. Son cœur palpite, hésitant entre la joie et la peur. Une main sur la bouche, la jeune femme recule. Sur le corps du malade, elle aperçoit, pareille à une couleuvre, une longue et profonde cicatrice qui entoure presque toute son épaule. Un peu plus bas, sur son sein nu, une seconde cicatrice, plus petite que l'autre, surprend par sa forme et sa couleur particulière : un cœur noir.

Léger comme une plume, le souffle chaud de Cohenaya effleure son coude.

— Mais qu'est-ce que tu attends, demande-le-lui ! ordonne le señor Alvarez.

— Je crois qu'il ne parle pas la même langue que moi, réplique-t-elle en se soustrayant au regard fiévreux de Cohenaya.

— Balivernes ! Vois ses yeux qui te fixent. Il t'entend. Il te comprend. On dirait même qu'il te reconnaît.

— Shanha… weh?

À cet appel, la jeune femme reporte son attention sur celui qu'elle avait vu pour la dernière fois plonger dans les eaux du grand fleuve[1].

— Shanh…

Le souffle de Cohenaya n'est plus qu'un sifflement aigu.

Une émotion aussi intense qu'insaisissable prend toute la place, rendant l'atmosphère encore plus lourde, plus oppressante. Shanhaweh porte la main à son cœur qui semble vouloir éclater. Dans ses oreilles, des milliers d'insectes bourdonnent.

— Ça marche! jubile le señor Alvarez à ses côtés. Allez, demande-lui où est l'or.

Hypnotisée par les prunelles de feu qui la transpercent jusqu'à l'âme, Shanhaweh demeure cependant sans voix. Après toutes ces années de solitude, son esprit retourne aux sources de ce qui fut son histoire. La cause de son départ du Kanata est devant elle…

— Shanhaweh, enfin…

Elle se relève, bien décidée à quitter cet enfer avant que sa raison ne défaille. D'une poigne solide, le señor Alvarez la retient et elle retombe à genoux.

---

1. Voir *Le vol des chimères*, de la même auteure, dans la même collection.

— Nous avons conclu un marché. Ne l'oublie surtout pas!

Leurs visages sont près l'un de l'autre. L'haleine forte du corsaire lui soulève le cœur. La jeune femme tourne la tête vers le mourant.

— Tu n'es pas Cohenaya, clame-t-elle, haut et fort, autant pour se convaincre elle-même que pour défier le mauvais tour que lui joue le destin. Tu n'es qu'un fantôme!

Puisant dans ce qu'il lui reste de forces, Cohenaya saisit la main de la jeune femme et la pose sur sa poitrine haletante.

— Je suis là, en chair et en os. Comme toi, tu l'es aussi.

Une immense faiblesse le terrasse. Il relâche prise. De sa gorge s'élève un râle semblable à celui d'une bête à l'agonie. Son front se couronne de gouttes de sueur.

Dans l'entrepont, le temps semble s'être arrêté.

— J'ai prié…, halète-t-il en fixant le visage de celle qu'il a tant aimée, et j'ai maudit les dieux de notre peuple de t'avoir enlevée à moi. J'ai supplié le diable des hommes blancs de mener mes pas jusqu'à toi. Et je te retrouve, enfin…

Un spasme le tord de douleur. Une fois dompté, il lui laisse juste assez de force pour poser sur Shanhaweh un regard d'une tendresse infinie. Un regard qui la bouleverse jusqu'à l'âme. Tendrement, du bout des doigts, elle caresse la joue du guerrier.

— Je vais mourir…

Sa voix est de plus en plus inaudible.

— L'or ! Parle-lui de l'or ! intervient le señor Alvarez.

Une douleur extrême fait grimacer Cohenaya.

— Le diable a tenu sa promesse, sifflet-il, sa lèvre supérieure retroussée par un rictus, et je vais le rejoindre dans les flammes éternelles.

— Si tu te repens, tu auras la grâce de…

— Il est trop tard ! Trop tard…

Il plonge ses prunelles embuées de larmes dans celles de Shanhaweh.

— J'ai commis les pires crimes pour l'amour de toi… Ne l'oublie jamais.

Son corps s'arc-boute avant de retomber sur la natte. Sa tête roule sur le côté. Ses yeux sans vie fixent Shanhaweh.

— Alors ? interroge le señor Alvarez, inquiet. T'a-t-il révélé où je pouvais trouver de l'or ?

Incapable de parler tellement son chagrin l'étouffe, Shanhaweh secoue la tête en signe de dénégation. Elle ne peut retenir ses larmes. Pareilles à des perles de pluie, celles-ci tombent sur le visage de celui qui n'a jamais su l'aimer.

— Il n'a rien dit ? s'impatiente le señor Alvarez, qui, jambes écartées et poings sur les hanches, se dresse maintenant près du corps inerte.

— Il n'a pas eu le temps de me le dire, déclare Shanhaweh d'une voix atone.

Furieux, le señor assène un coup de pied dans les côtes de Cohenaya, dont le corps tressaute violemment.

— CHIEN ! TU M'AS BIEN EU !

Il assène un dernier coup de pied sur le corps du guerrier avant de quitter l'entrepont en colère.

Restée seule, Shanhaweh ferme les paupières de Cohenaya, dont le visage est, pour la première fois, empreint de sérénité. Une profonde pitié remplace la haine qui a couvé en elle depuis trop d'années. Elle soulève le corps émacié du guerrier, appuie la tête de ce dernier sur sa poitrine et se met à le bercer, doucement. De sa bouche s'échappe un chant aux notes plaintives ; comme celui qu'elle chantait aux enfants tristes de son pays.

13

Tant de rêves...

Malgré la chaleur de la mi-août, le feu rougeoie dans l'âtre. Assis à son bureau, Jacques Cartier, plume levée, demeure pensif. Son teint hâve et ses yeux rougis expriment une grande fatigue. Il fixe d'un air songeur l'immensité du firmament qui s'encadre par la fenêtre.

Depuis plusieurs semaines déjà, il court les rues de Saint-Malo afin d'y assister les malades, dont le nombre s'accroît sans cesse.

« Tant de morts... », murmure-t-il.

Plus d'une fois, il a été appelé au chevet d'amis, de parents, jeunes et vieux.

« La peste ne pardonne pas... »

Malgré les multiples précautions prises pour contrer la maladie, celle-ci fait toujours des ravages.

« Partons pour le manoir », l'avait plus d'une fois supplié sa femme. Mais il se sentait le devoir impérieux de demeurer rue de Buhen. N'était-il pas connétable et apôtre apostolique ?

Il lorgne le fauteuil que, quelques minutes auparavant, sa tendre épouse occupait. L'ouvrage de broderie posé sur une table basse l'attire. Délaissant sa plume, il se lève et se dirige vers la tapisserie multicolore. Il y voit un oiseau magnifique, au plumage noir, au ventre jaune et au large collier rouge qui le ravit. Derrière lui, le verdoyant des ramures l'enveloppe. Du bout des doigts, il suit les contours des ailes de l'oiseau qui semble le regarder.

Au bruit de la porte qui s'ouvre derrière lui, Cartier se retourne.

— Vous admirez mon oiseau, maintenant ? lui dit sa femme en s'approchant de lui.

— Vous savez que j'ai toujours aimé les oiseaux, rectifie-t-il. Mais, comme celui-ci, je n'en ai jamais vu de semblable. J'imagine qu'un tel spécimen n'existe que dans les îles des mers du Sud.

— C'est un passereau d'Afrique. On le surnomme « la veuve ». Dieu lui a donné des

116

ailes pour qu'il puisse voyager librement, sans frontières aucune. Les hommes n'ont su que lui construire une cage.

Cartier l'enveloppe d'un regard surpris.

— Vous comparez-vous à cet oiseau?

— Peut-être…

Elle le fixe longuement, une étincelle au fond des yeux.

— J'aurais tant voulu voyager jusqu'aux confins de la terre avec vous!

Jacques Cartier reste muet devant un tel aveu. L'univers clos des marins n'a laissé à aucune femme le droit de s'y immiscer. Cela aurait été inconvenant. Inconcevable, même. Seules les prisonnières recrutées dans les geôles de France et de Bretagne y avaient été autorisées par décret spécial du roi.

— Mes propos vous choquent-ils? interroge Catherine, l'air soucieux.

— Ils me surprennent, plutôt! La mer est si dangereuse. Elle aurait pu vous arracher à moi et vous ensevelir pour toujours dans ses abîmes.

— Ma vie durant, je n'ai cessé de craindre cela pour vous.

— La vie d'un marin est au service de la mer.

— Et celle d'une épouse au service de son mari.

Cartier la fixe tendrement.

— N'est-ce pas ce que vous avez toujours fait, ma mie ?

— Depuis votre première expédition, ma vie n'a été qu'une suite de jours où je me confinais dans la prière et l'attente. Je chérissais vos rêves à distance et, à votre retour, je pansais les blessures dont l'ignorance et l'ingratitude des autres vous affligeaient.

Elle se redresse avant de continuer :

— Je crois que si j'avais été près de vous, là-bas, le rêve si cher à votre cœur serait devenu réalité. À deux, nous aurions été plus forts. Les vaines tentatives de…

D'un geste de la main, il la fait taire.

— Il ne sert à rien de ressasser de vieilles chimères. Le passé est déjà loin. Aujourd'hui est beaucoup plus important.

Catherine baisse la tête et joint ses mains sur son ventre qui n'a porté aucun enfant. Le masque hideux de la souffrance et de la mort qui bâtit son nid, chaque jour, sur le seuil des maisons de Saint-Malo lui fait de plus en plus peur. Les années de solitude, qui ont laissé des traces indélébiles sur son front et sur son cœur, creusent désormais un vide dans sa mémoire. Elle ne sait plus faire la différence entre l'appréhension de ce qui les attend et les tourments d'autrefois.

Aujourd'hui encore, elle pleure le décès de deux de ses chers neveux, victimes de la peste.

dans la demeure, préférant ignorer la charrette qui s'arrête à quelques mètres de là.

À l'intérieur de la maison flotte une odeur tenace : relents de parfums et de grillades, mais aussi de fumée.

— J'ai demandé à un serviteur de faire brûler quelques branches de genévrier pour assainir les lieux, explique le jeune comte.

— Voilà une sage décision !

Les deux hommes empruntent un long corridor sur les murs duquel s'alignent des portraits.

— C'est votre père ? s'enquiert Cartier en montrant l'un d'eux du doigt.

— Oui. Le comte Justin de Bellevoix. Je ne l'ai jamais connu puisqu'il est mort avant ma naissance.

— Un accident ?

— Non. Un voleur l'a tué avant de déguerpir. On n'a jamais retrouvé le coupable.

— C'est assurément la raison pour laquelle votre mère n'a jamais vraiment aimé habiter ici.

— Je suppose que oui.

Lorsque le jeune comte est venu le supplier de rendre visite à sa mère mourante, il s'en est fallu de peu qu'il ne le renvoie de manière très discourtoise. La pitié, mais surtout son devoir l'y a, en quelque sorte, obligé. Refoulant son acrimonie, il avait imploré Dieu de l'aider

— La mort est partout, souffle-t-elle, en proie à un chagrin profond.

Son teint livide alerte Jacques Cartier qui la conduit jusqu'au fauteuil dans lequel elle s'assoit sans discuter. Son mari s'agenouille aussitôt devant elle.

— J'ai peur, Jacques. Si peur…

— Je suis là.

— Pour combien de temps encore ?

Il ne répond pas. Dans ce silence, Catherine sent une angoisse égale à la sienne.

— Seul le Seigneur tout-puissant pourrait répondre à votre question.

Catherine des Granches se penche et presse ses lèvres sur les cheveux de son mari qui exhalent l'odeur douce et acide d'une personne en sueur.

— Quittons la ville. Partons au manoir. Je m'y sentirais plus tranquille. L'air y est plus pur. Je me saoulerais du parfum des fleurs qui enjolivent notre jardin et du gazouillis des oiseaux qui nichent dans notre verger.

— Vous savez si bien me convaincre, ma belle dame, dit-il en lui adressant un sourire moqueur.

Ce simple sourire chasse les idées noires de Catherine. Elle lui sourit en retour et dépose sur son front un tendre baiser.

— Quand partons-nous ? demande-t-il.

— Si je le pouvais, je partirais demain, à la première heure ! lui répond-elle sur un ton enflammé.

— Je dois rencontrer des notables qui…

— Jacques ! l'interrompt Catherine en posant deux doigts sur ses lèvres. Ils sauront bien se débrouiller sans vous.

Cartier dodeline de la tête avant d'acquiescer en silence.

Sa femme a raison. Les médecins et les chirurgiens ont pris la situation en main. Ne restent que les pauvres et les malades qui devront se passer de son assistance.

— C'est entendu ! Demain, nous partons pour Limoëlou.

Le visage de Catherine s'illumine et elle love ses bras autour du cou de son mari.

— Merci, souffle-t-elle à son oreille.

14

La confession

Jacques Cartier emboîte le pas à Pierre de Bellevoix.

— Ce n'est plus très loin.

— Je sais, répond Cartier, laconique.

Devant lui se profile l'entrée d'un manoir qu'il saurait reconnaître entre mille. Au bout de la rue, les roues d'une charrette, chargée de cadavres empilés les uns par-dessus les autres, grincent sur les pavés. Annonçant le passage du funèbre cortège, le son lugubre de la cloche retentit.

— Vite ! intime Pierre, qui hâte le pas.

Il pousse la grille et s'introduit dans le jardin Jacques Cartier sur les talons. Il s'approch ensuite de la porte d'entrée qu'il ouvre d' geste nerveux. Les deux hommes pénètr

à accomplir cette mission qu'il trouvait extrê-
mement déplaisante.

Ils arrivent tout près d'un escalier qu'ils
gravissent aussitôt. Un silence d'outre-tombe
enveloppe l'étage supérieur où quatre portes
fermées se font face. Une faible lueur jaune
s'échappe de dessous l'une d'elles.

— Elle vous attend, lui dit Pierre.

Il ouvre la porte et l'invite à pénétrer avant
lui dans la chambre.

Jacques Cartier, qui s'était pourtant juré
de ne plus jamais revoir cette femme, tente
tant bien que mal de réprimer le fort sentiment
de dégoût qui le submerge. Il inspire profondément, bien décidé à mettre un terme le
plus rapidement possible à cette visite.

La comtesse de Bellevoix est allongée sur
son lit. Ses longs cheveux défaits forment
une auréole sombre autour de sa tête. Son
visage, constellé de taches violettes, est inondé
de sueur. Sous son aisselle, un bubon aussi
gros qu'une pomme forme saillie. De l'autre
côté du lit, penché sur elle, scalpel en main,
un chirurgien fait une incision dans ses chairs
bouffies.

— Aaaah! hurle la pauvresse.

Pierre réagit instantanément.

— Vous êtes fou? Vos médecines de malheur ne font que l'affaiblir et la faire souffrir
davantage!

— Jeune homme, de tout temps, les saignées ont été les meilleurs remèdes pour aider le corps à se débarrasser du venin des maladies et autres poisons.

Il lance un regard courroucé au jeune comte avant d'essuyer la lame avec un chiffon qui se teinte aussitôt de jaune et de rouge. Puis il replace son instrument de torture dans sa sacoche de cuir, ouverte sur le lit.

— De toutes manières, je ne peux plus rien pour elle. La peste la ronge tout entière.

Sans un salut, le chirurgien quitte la pièce, laissant Pierre éperdu d'impuissance.

Jacques Cartier s'approche du lit de Jacinthe qui garde les yeux fermés.

— Vous désiriez me voir ?

Au son de cette voix, la comtesse s'agite sur sa couche et soulève ses paupières. Le regard qu'elle pose sur le Malouin est brillant de fièvre.

— Maître Cartier…

Elle tourne la tête vers Pierre qui attend, immobile, sur le pas de la porte.

— Laisse-nous seuls.

Pierre obéit sans discuter et quitte la pièce en laissant la porte entrouverte. Jacques Cartier s'approche un peu plus du lit. De dessous son manteau, il sort une Bible, celle-là même qui lui a servi lors de son deuxième voyage au Kanata, alors qu'en visite à Hoche-

laga, on lui avait amené des malades et des
miséreux. Il l'ouvre avec lenteur.

— Refermez ce livre, souffle la comtesse.
Je n'en ai point besoin.

— Vous refusez la parole de Dieu?

— Je l'ai refusée à jamais le jour de mes
douze ans, quand un prêtre a relevé mes
jupons.

— Vous n'avez donc point la crainte des
flammes éternelles? réplique Cartier, visiblement scandalisé.

— Ma vie terrestre a été un enfer et je m'y
suis consumée tout entière. Je ne crains donc
pas le diable, ses œuvres et son éternité de
souffrances.

Le Malouin fixe le visage de cette femme
pour qui il ressent la plus vive antipathie.

— Vous savez que je vous déteste, murmure-t-il tout bas. Alors, pourquoi m'avez-vous
mandé auprès de vous?

— Pour me confesser.

— Faites venir un aumônier, alors!

— Non. Ma confession ne concerne que
vous et moi.

Cartier hausse les sourcils. Que va-t-il
découvrir ici qu'il ne sache déjà? Quel secret
la comtesse lui révélera-t-elle?

Prise de tremblements, celle-ci hoquète
à plusieurs reprises. De sa bouche ouverte
s'échappe un mince filet de bave. Cartier

observe les doigts fins, libérés des bagues qu'elle portait sans cesse, qui se crispent nerveusement. Il ne peut s'empêcher d'admirer son courage dans la douleur.

— Il s'agit de Pierre..., continue Jacinthe, qui a retrouvé son souffle.

— Votre fils ?

— Il n'est pas mon fils, mais celui de ma servante, Marie.

Cette révélation a sur Cartier l'effet d'une douche froide. Il écarquille les yeux de surprise et pose la Bible en déséquilibre sur le bord du lit. Le livre saint choit par terre.

— Shanhaweh..., souffle le capitaine malouin. Elle et votre mari ont...

— Non ! l'interrompt la comtesse. Mon mari était mort bien avant que je ne la prenne à mon service, souvenez-vous.

— Alors, qui est donc le père de ce garçon ?

— Gabriel Montais.

À l'évocation du jeune homme qu'il a laissé aux bons soins du chef Taghonda, lors de son troisième voyage, Cartier quitte abruptement les abords du lit. Dans sa tête, des visions s'entrechoquent, bousculent sa mémoire, ressuscitent les regrets, les incertitudes et les chagrins. Il s'approche de la fenêtre, y prend appui de ses deux mains, comme il l'a

126

si souvent fait sur la lisse du bastingage de la *Grande-Hermine,* et inspire profondément. Dans son cœur un vent de tempête fait rage.

— J'ai quitté la Bretagne en direction de la Loire le jour où vous avez levé l'ancre pour votre troisième expédition au Kanata. J'y avais loué une chaumière où j'ai pu cacher la maternité de Marie. À notre retour à Paris, j'ai fait passer son fils pour le mien, soustrayant ainsi la pauvre fille à un destin bien misérable.

— Vous avez volé son enfant ? s'indigne Cartier.

— Je n'ai rien volé, disons que j'ai plutôt acheté son silence et sa soumission.

— Pourquoi m'avouez-vous cela, maintenant ? demande-t-il sans se retourner.

— Parce que je vais mourir.

Le Malouin se tourne vers la malade qui respire avec difficulté.

— Et Shanhaweh, qu'est-elle devenue ?

— Elle a quitté la maison il y a trois semaines.

— Vous mentez ! Encore une fois !

— Je vous ai toujours dit la vérité.

Indigné, Jacques Cartier délaisse la fenêtre et rejoint le lit, dont il frappe le montant de son poing fermé.

— Je ne vous crois pas.

— Vraiment ?

Cartier refoule tant bien que mal les paroles fielleuses qui se bousculent dans sa bouche. Il serre les dents et marche de long en large dans la pièce, comme il a l'habitude de le faire lorsqu'il est angoissé.

— Votre fils adoptif sait-il la vérité? demande-t-il en s'arrêtant une nouvelle fois au pied du lit.

— Non! Le jour du départ de Gabriel pour le Kanata. Shanhaweh m'a juré silence et obéissance afin de protéger la vie de Gabriel Montais, l'assassin de mon mari.

Jacques Cartier explose de rage.

— À cause de vous, j'ai dû mentir à mon ami Tagondha, son père. À cause de vous, j'ai été rongé par les remords de ne pas avoir tenu ma promesse. J'ai tant prié pour le repos de son âme. Et elle était auprès de vous! Bien vivante! Comment avez-vous pu être aussi cruelle?

— En procurant à son bâtard ce que jamais elle n'aurait pu lui donner, je l'ai aidée. Je lui ai donné un nom, la richesse… Et un peu de ce bonheur dont la vie ne m'a jamais comblée.

Elle abaisse les paupières afin de cacher la peine qui la ronge encore plus que la maladie elle-même. Saura-t-on jamais ce qu'elle a souffert à cause de ses choix, mais surtout à cause de Gabriel Montais?

— Cette Sauvageonne m'a ravi l'amour de l'homme que j'ai aimé plus que tout. À mon tour, je lui ai enlevé son fils.

— Mais pas son amour…

Pierre de Bellevoix s'encadre sur le seuil de la porte entrebâillée.

Cartier tourne la tête vers ce garçon de seize ans qui vient d'apprendre l'horrible vérité.

— Pierre ? Je… tu…, bredouille la comtesse.

Le cœur en lambeaux, le jeune comte s'enfuit à toutes jambes.

15

Miséricorde

Pierre est attablé devant un pot de mauvais vin. Il a erré longtemps avant de trouver une taverne ouverte. À cause de l'épidémie de peste, plusieurs établissements ont mis la barre sur la porte.

Au fond de la salle, deux matelots discutent entre eux en lui lançant, de temps à autres, des regards curieux. Le jeune comte n'y prête aucune attention, tout absorbé qu'il est par l'aveu de la comtesse. Il prend une gorgée de vin et, du revers de la main, essuie le liquide vermeil qui coule aux commissures de ses lèvres. Son cœur pèse aussi lourd qu'une pierre. Il se sent désemparé.

«Comment a-t-elle pu…, murmure-t-il pour lui-même. Chienne!»

Une nouvelle gorgée de liquide lui irrite la gorge.

Dehors, des cris, suivis du bruit métallique des épées qui s'entrechoquent, parviennent jusqu'à lui. Les clients de la taverne ont tôt fait de s'encadrer dans la porte, curieux de voir ce qui se passe à l'extérieur. Indifférent, Pierre demeure assis. Soudain, deux hommes sortent en vociférant avant de revenir dans la salle, soutenant un individu couvert de sang. Ils le couchent sur une table qu'ils ont débarrassée en vitesse des gobelets et de la vaisselle qui y traînaient. Le patron de la taverne les rejoint aussitôt.

— C'est le señor Alvarez ! s'exclame-t-il en voyant le blessé.

Curieux, Pierre se lève et s'approche à son tour de l'homme qui serre les mâchoires sous la douleur. D'un rose éclatant, juste à la hauteur du cœur, une tache de sang s'épanouit sur le blanc de sa chemise. Il s'agrippe au jeune comte et l'implore :

— La petite ! Il faut prendre soin de la petite ! Elle est blessée. Là, dehors…

Pierre ne sait que faire. Sans aucune honte, deux acolytes viennent de déposséder le blessé de son escarcelle à moitié pleine, avant de lui enlever son manteau et sa chemise souillés. Alertée par son mari, la femme du tavernier apporte un vase rempli d'eau fraîche qu'elle pose sur la table, près du blessé. Elle y trempe un linge, le tord un peu et entreprend de laver l'entaille qui marbre sa poitrine.

— La… petite…, là…, bredouille le señor, dont les forces diminuent de minute en minute.

Mû par un étrange pressentiment, Pierre sort de la taverne. Dehors, la nuit recouvre tout, mais, après quelques secondes, ses yeux s'habituent à l'obscurité et il scrute les environs, à l'affût des vauriens qui rôdent peut-être encore dans les parages. Il jette un regard circulaire sur les quais endormis. Soudain, un gémissement étouffé lui parvient.

— Qui va là ?

Le silence lugubre lui donne froid dans le dos. Apeuré, il recule, prêt à se réfugier dans la clarté sécurisante de la taverne, quand son regard tombe sur une main qui s'agite au-dessus d'un amoncellement de caisses vides.

— Qui est là ? Répondez ou…

— Pierre… C'est moi…

La voix rauque et brisée de sa nourrice et amie lui parvient comme dans un songe.

Pour la seconde fois en deux semaines, Jacques Cartier se dirige vers la demeure des

133

Bellevoix. Mais cette fois, Catherine des Granches est avec lui. Le message qu'ils ont reçu du jeune comte les a remplis de joie et attristés tout à la fois.

> *Capitaine Cartier,*
>
> *Ma nourrice Shanhaweh est malade et vous réclame à son chevet. Ne tardez pas, je vous en prie.*
>
> *Votre tout dévoué, Pierre,*
> *comte de Bellevoix.*

Depuis leur départ du manoir de Limoëlou, où ils s'étaient enfin retirés, Jacques Cartier n'a de cesse de remercier le ciel de lui accorder la faveur de revoir Shanhaweh.

La voiture bifurque à droite et emprunte une rue parallèle au port.

Les vents frais du mois d'août ont fait fuir la canicule. Depuis peu, les médecins et barbiers-chirurgiens ne ratissent plus les rues ni ne peignent des croix rouges sur les portes. Le bruit grinçant des tombereaux se fait moins entendre, sauf à de rares occasions.

Sous l'insistance de sa femme, Cartier a, pour un moment, oublié la ville, ses morts et son épidémie afin de se concentrer sur la beauté de son jardin et sur le souffle du vent. Il n'a pas remis les pieds à Saint-Malo depuis sa visite au chevet de la comtesse.

La voix douce de Catherine des Granches le sort de sa rêverie éveillée :

— Comme vous voilà inquiet, mon ami. N'affichez pas cet air d'enterrement lorsque vous la verrez, je vous en conjure.

Il lui sourit sans entrain.

— Je vais faire de mon mieux. Ne vous inquiétez pas.

La voiture s'immobilise enfin devant la demeure du comte de Bellevoix. Cartier et sa femme en descendent. Ils s'empressent vers la porte où Pierre les attend.

— Vous voilà enfin ! s'exclame-t-il. Je suis content !

— Comment est-elle ? s'enquiert Catherine qui relève ses jupes et enjambe le seuil de la porte.

— Elle va de mal en pis. Ses forces la quittent.

— Allons la voir sans plus attendre, décrète Jacques Cartier qui précède le jeune homme, dont les yeux rougis démentent son calme apparent.

Quelques mètres les séparent de l'escalier qu'ils gravissent en toute hâte. Pierre de Bellevoix est le premier rendu sur le palier.

— Elle repose dans ma chambre.

Cartier gravit les dernières marches et pénètre dans la pièce que lui désigne Pierre. Une bonne odeur de santal y flotte. Shanhaweh est couchée dans le grand lit aux draps immaculés. Elle semble dormir. Ses cheveux noirs sont retenus en deux longues tresses. Ses bras gisent le long de son corps amaigri. Jacques Cartier remarque alors les minuscules points rouges qui couvrent sa peau. Lui revient alors en mémoire le spectacle désolant de onze guerriers indigènes qu'il avait ramenés de son deuxième voyage en terre d'Amérique, et qui n'avaient pas survécus à ce déracinement.

Catherine des Granches fait une pause sur le pas de la porte et ravale un sanglot. À la suite de Pierre, Cartier s'avance à pas feutrés.

Jamais encore la jeune indigène ne lui est apparue aussi belle. Aussi différente... À la vue de ces cheveux noirs, de cette peau dorée, de ces pommettes saillantes et de ces lèvres closes, le capitaine malouin croit revoir tous ceux et celles qui ont hanté ses nuits et réveillé les chimères qu'il avait pourtant enfouies au plus profond de son cœur. Une larme silencieuse glisse sur sa joue.

Il s'arrête près du lit et, d'un geste tendre, pose sa paume sur le front brûlant de la jeune femme qui ouvre les yeux sous la caresse. Ses prunelles enfiévrées contemplent enfin celui qu'elle a tant rêvé de revoir. Ses lèvres minces s'étirent lentement, dessinant sur son visage un sourire las.

136

— Capitaine Cartier... enfin..., souffle-t-elle.

Un mouvement derrière lui attire son attention. Catherine des Granches est aussitôt à son chevet.

— Dame Catherine... Vous êtes là aussi...

Elle tend la main vers cette femme qui lui a toujours montré la plus franche affection.

— Je suis si contente de te revoir ! Nous t'avons cherchée si longtemps. Et dire que tu étais encore vivante et si près de nous ! s'exclame Catherine en s'emparant de la main tendue.

— Chère, chère Marie. Comme tu nous as manqué ! renchérit Jacques Cartier en caressant de nouveau la tête de la jeune femme, comme on caresse celle d'un enfant.

— Parlez-moi de mon père, demande Shanhaweh en s'agitant sur sa couche. Dites-moi qu'il n'a pas été votre ennemi. C'était un homme bon et brave. Il n'a pas pu...

— Calme-toi. Ton père était un grand *sagamo*. Le meilleur de tous. Comme tu l'affirmes, il était bon, brave, et il n'aurait pas fait de mal à une mouche. Je le sais...

— Pas même à Gabriel Montais que vous lui aviez confié ?

Cette question a sur Cartier l'effet d'une douche froide.

Comment Shanhaweh a-t-elle pu savoir ce qu'il était advenu de ce jeune homme qu'il avait effectivement confié aux bons soins de Tagondha ? Qui a bien pu lui en parler ?

Il lève la tête vers le comte, le questionnant du regard. Mais celui-ci hausse les épaules en signe d'ignorance.

— Je veux savoir la vérité…, murmure Shanhaweh, les lèvres tremblantes.

Catherine des Granches touche le coude de son mari, l'incitant à prendre place près d'elle sur le bord du lit.

Cartier obtempère aussitôt.

— Sois sans crainte, petite Shanhaweh. Tagondha m'a toujours été loyal. Il n'a jamais agi en traître. Tu peux être fière de ton père.

À ces propos, la Sauvageonne approuve de la tête en silence.

— Je me souviens clairement de Gabriel Montais, continue le capitaine Cartier. Il faisait partie du contingent de prisonniers que j'ai retirés des geôles de Bretagne et qui ont formé les membres de la nouvelle colonie. Lorsque j'ai navigué vers la source du fleuve, j'ai rendu visite à ton père et je lui ai confié Gabriel, qui connaissait déjà quelques rudiments de la langue indigène, ainsi qu'un autre moussaillon du nom de Julien. J'ai cru qu'ils pourraient servir d'interprètes, mais aussi te remplacer auprès de lui.

138

Cartier baisse la tête. Le lourd sentiment de cette impuissance le tourmente encore.

— Pour la deuxième fois, j'ai cherché en vain un passage vers le Cathay, mais les maudits rapides me barraient la route! Je suis donc revenu plus tôt que prévu à Achelacy.

Le vieux capitaine fait une pause avant de continuer. Des images d'horreur se bousculent dans sa tête en feu.

— Ton village était désert. Ton père avait disparu et Gabriel Montais aussi. Nous n'avons retrouvé que le corps de Julien.

— Et mon père?

Lancée par Pierre comme un boulet, la question fait relever la tête de Catherine et de son mari.

— Oui, mon père, Gabriel Montais, continue le jeune comte, l'avez-vous retrouvé?

— Hélas, non.

— Alors, il est peut-être encore vivant.

— Je ne sais pas. Peut-être a-t-il préféré demeurer avec les Sauvages et refaire sa vie en toute liberté. Ici, sa tête était mise à prix. Là-bas, je ne lui connaissais point d'ennemis. À part un jeune guerrier…

— Cohenaya!

Cartier sursaute à l'évocation du seul nom qu'il ait cru bon de taire.

— Il y a quelques jours, sur un navire à l'ancre, Cohenaya est mort la tête appuyée sur mon cœur, avoue Shanahweh, les larmes aux yeux.

Sous l'effet d'une vive contrariété, Cartier se lève et frotte sa barbe avec énergie. Jamais il n'aurait cru entendre de nouveau parler de ce Cohenaya qui avait été à la source de tous ses embêtements, la source de tous les malheurs de ceux qui l'avaient côtoyé de près ou de loin : lui, Shanhaweh, Thomas Fromont, son meilleur ami, et Gabriel qui avait attiré son courroux pour la simple raison qu'il avait la peau claire et les cheveux blonds.

— Comment a-t-il pu venir te relancer jusqu'ici, le scélérat ?

— Cohenaya avait fait le serment de me retrouver un jour.

— Il t'a beaucoup aimée, je suppose, ajoute Catherine.

— Oui, beaucoup…

Une faiblesse la terrasse. Elle cherche son souffle avant de continuer :

— Je dois vous faire des aveux. La comtesse de Bellevoix m'avait fait jurer de…

— La comtesse m'a confessé son infamie, l'interrompt Cartier. Ne t'en fais pas. Tu n'es et n'as jamais été coupable d'autre chose que d'avoir aimé jusqu'au bout.

Shanhaweh fixe un long moment le visage vieilli de celui qui, sur le pont de son grand navire, était apparu à son peuple comme un géant. Elle l'avait haï lorsqu'il avait fait cracher ses monstres de fer sur la forêt de Stadaconé, l'avait maudit lorsqu'il l'avait acceptée comme présent, refusant son jeune frère. Mais au fil du temps, elle avait admiré son courage, sa ténacité, et elle avait dû reconnaître sa grande générosité. Il lui avait laissé le choix de retourner dans son village. Elle avait préféré quitter le Kanata qui ne lui apportait que chagrin et honte.

Par la fenêtre ouverte leur parviennent les cris des oiseaux se querellant la branche où ils passeraient la nuit.

— Portez-moi dans le jardin, dit-elle. Je veux mourir sous les étoiles.

Avec mille précautions, le jeune comte s'empresse vers la mourante et, aidé de ses deux compagnons, rabat les couvertures avant de passer ses bras tremblants sous le corps amaigri. Il la soulève sans effort et marche vers la porte, suivi de Jacques Cartier et de sa femme. Il descend l'escalier, s'appuyant de temps à autre contre le mur pour reprendre son équilibre. Le petit groupe traverse ensuite le hall et se dirige vers le jardin dont les buissons et les arbustes ploient sous le poids de fleurs magnifiques. Au-dessus d'eux, le ciel s'assombrit peu à peu.

— Je ne vois pas les étoiles? s'inquiète Shanhaweh lorsque Pierre la dépose doucement sur le sol.

— Il ne fait pas encore nuit noire. Mais regarde, il y en a une, tout là-haut, répond son fils en s'allongeant à ses côtés. C'est la première, mais il y en aura bientôt des milliers. Tu le sais bien, *adanahoé* (mère), toi qui m'as appris à les compter.

Quelque chose se coince dans sa gorge. L'inclinaison de sa tête et le désespoir accablé de ses gestes démontrent son infinie tristesse. Faisant fi des convenances, il se blottit contre celle qu'il peut enfin appeler sa mère, comme il le faisait lorsqu'il était enfant, et tourne ses yeux brillants de larmes vers le ciel.

Shanhaweh, ses doigts agrippés à ceux de son fils chéri, esquisse un sourire triste et las. Elle fixe le ciel à son tour et, avec un dernier regard vers Cartier et Catherine qui se tiennent un peu en retrait, elle murmure tout doucement :

— Si tout ce que vous m'avez dit est vrai, alors je peux mourir en paix. *Hedgagne-hanyga, aguo…* (Adieu, mon fils).

Une brise légère s'élève dans le jardin, faisant valser les ramures. Des pétales de fleurs voltigent un moment au-dessus de la mère et du fils enfin réunis, avant de se poser sur les cheveux de Shanhaweh.

16

La quête

— **J**e dois le retrouver. C'est mon droit !
C'est mon devoir !

— Mais je ne sais même pas s'il a
survécu....

— Vous n'avez pas retrouvé son corps,
à ce que je sache ?

— Non.

— Alors, c'est qu'il est encore vivant !

— Après toutes ces années ?

Pierre de Bellevoix s'arrête près du bureau
de Jacques Cartier. Il prend appui sur le dessus
de celui-ci et enchaîne, en détachant bien
chaque syllabe :

— IL-EST-VI-VANT ! Je le sais. Je le sens,
là, au fond de mon cœur.

Joignant le geste à la parole, il se frappe
la poitrine à trois reprises.

— Mon pauvre garçon ! s'exclame le Malouin en se levant et en marchant vers l'âtre où un feu rougeoie. La confession de la comtesse, suivie de la mort de Shanhaweh, vous a affecté plus que je ne le croyais ! Pour apaiser votre peine, vous vous construisez les pires chimères…

— Ce ne sont point des chimères ! éclate le comte, qui frappe cette fois la table de travail de son poing fermé. Je le retrouverai. Mort ou vif !

— Plutôt mort que vif, je le crains fort, rétorque Cartier sur un ton dur.

— Alors, si cela est, je chercherai sa dépouille et la ramènerai ici, en Bretagne, pour la coucher auprès de ma mère, Shanhaweh.

Jacques Cartier ne réplique pas. Il ne saura faire entendre raison à ce jeune homme qui n'a plus d'attaches sur ce continent et dont la raison et la passion n'ont d'égales que sa soif de retrouver celui qui l'a engendré. Comment savoir vraiment ce qui est arrivé à ce dernier ? Comment être certain qu'il est mort ou vivant ? Peut-être Pierre de Bellevoix a-t-il raison. Peut-être Gabriel Montais coule-t-il une vie paisible, entouré d'enfants indigènes nés d'une union des deux cultures.

Le vieil homme reprend place sur la chaise qu'il a quittée quelques minutes auparavant, s'empare de la plume, la trempe dans l'encrier avant d'écrire une note sur un parchemin posé devant lui. Cette missive, écrite et signée de sa main, sera un sauf-conduit sur tout navire en partance vers l'Amérique.

— Ce ne sont plus les Amérindiens qui sont les plus redoutables, explique Cartier, mais bien les pêcheurs de morue, les chasseurs de baleines et aussi les trafiquants de peaux de bêtes qui veulent garder le monopole de ces trafics. Aucune autre expédition, vouée à la colonisation, n'a quitté le port de Saint-Malo, car aucun subside désormais n'est alloué pour ce faire.

— Je quitterai à bord d'un baleinier ou d'un morutier !

— À quel titre ?

— …

— Il vous faudra bien assumer un poste de subalterne, sinon les marchands croiront que vous les espionnez pour le bénéfice d'un concurrent.

— Comme simple matelot ?

— Avez-vous déjà navigué ?

— Hélas, non.

— Savez-vous écrire, compter, dessiner ?

— Quand j'étais enfant, j'ai suivi les cours de dessin d'un peintre et je peux affirmer que je me débrouille assez bien.

— Sauriez-vous dessiner des cartes, des arbres, des animaux…

— Oui.

— Alors, j'inscris que vous êtes mandaté comme cartographe scientifique et parrainé par mon ami Thevet, qui est un cosmographe très connu. Tout semblera ainsi très plausible. Lorsque vous serez au Kanata, vous comprendrez l'attrait que ce pays a exercé sur tous ceux qui y ont vécu, ne serait-ce que quelques mois. Moi-même ai-je failli y laisser ma raison. Mon âme… De ses forêts et de ses cour d'eau, dont on ne connaît point les sources, émanent des sortilèges et des enchantements. De ses habitants, une incomparable générosité.

— On les dit parfois belliqueux ?

— À la cour de France, j'ai connu plus mesquins, plus dangereux et plus belliqueux, je vous l'assure. À vrai dire, n'eût été de la charité dont les Sauvages ont fait preuve lors de mes trois expéditions, mes équipages et moi serions tous morts du scorbut et du froid. Ils nous ont appris l'art de vivre en ce pays de neige et de glace. Ils ont partagé leur nourriture, nous ont montré comment tirer profit de la nature et de ses bienfaits, nous ont souvent accompagnés et dirigés lors de nos recherches pour trouver les sources du grand fleuve. Ils nous ont donné des peaux de bêtes en échange de quelque bimbeloterie que

146

même des paysans d'ici auraient dédaignée. Ils nous ont offert leur monde sur un plateau d'argent. J'espère seulement que les pêcheurs, marchands et trafiquants ne les déposséderont pas de tout cela.

Jacques Cartier inscrit encore quelques mots, saupoudre la feuille d'un sel spécial pour faire sécher l'encre et plie le parchemin qu'il remet aussitôt entre les mains de Pierre.

— La route vers le nouveau continent est parsemée d'embûches, continue Cartier. Vos pires ennemis seront peut-être à vos côtés. Soyez vigilant.

— Je le serai.

— Depuis que les navires de pêche sillonnent dans le golfe du Saint-Laurent, on m'a raconté que des indigènes ont troqué des fourrures contre des mousquets et autres armes à feu. Ils peuvent désormais se battre à forces égales.

Le jeune comte baisse la tête vers la feuille qu'il tient entre ses mains. Ce passeport pour la liberté le mènera vers l'incertitude la plus complète. La défaite, peut-être…

Le doux visage de Shanhaweh lui apparaît soudain.

Après avoir fermé les paupières de sa mère, il était demeuré étendu près d'elle jusqu'à ce que son corps devienne froid. Le visage enfoui dans sa chevelure de jais, il avait humé l'odeur de sa peau, baisé son front et caressé sa joue d'une main moite. Puis il l'avait serrée très fort, pleurant sa détresse d'orphelin, crachant sa colère contre celle qui leur avait enlevé le droit de s'aimer devant Dieu et les hommes. Il avait sangloté longtemps avant d'implorer Isoukéha et Cudouagny, comme le lui avait enseigné Shanhaweh, de recevoir l'âme de cette femme qui lui avait voué un amour inconditionnel. Après plusieurs heures, il avait dû, à regret, l'abandonner aux soins de l'aumônier, venu à la demande de Catherine des Granches.

Shanhaweh reposait maintenant en paix, dans un cimetière de Bretagne, à côté de son amie Éloïse.

Cartier se lève, pose une main sur l'épaule du comte et lui sourit.

— Je vous souhaite toutes les chances du monde pour retrouver votre père. Mort ou vif, Gabriel restera toujours pour moi un exemple de courage et de ténacité.

Plus déterminé que jamais à donner un sens à son existence, Pierre de Bellevoix quitte la chambre du manoir de Limoëlou où, désormais, Jacques Cartier prend une retraite tranquille.

17

Le dernier voyage

Pareils à des âmes espiègles et vagabondes, des courants d'air dispersent les parfums des fleurs. Dans le verger, Jacques Cartier se repose à l'ombre des pommiers. Autour de lui batifolent de jolis papillons blancs. De loin en loin, le cri d'un oiseau perce le silence. Dans le potager, tout près, s'affaire dame Catherine. Une bonne odeur de terre fraîche s'en exhale. À la base des feuilles déployées des choux et des navets pointent quelques mauvaises herbes.

— Ce chiendent ! s'exaspère Catherine en arrachant l'herbe dévastatrice. Je n'en viendrai jamais à bout !

— Laissez donc, ma mie, intervint Cartier avec douceur. L'automne est à nos portes. Ils se flétriront bientôt et mourront avec l'hiver.

— Je vous croyais endormi, dit-elle en s'approchant de lui.

— Je ne dormais pas, je songeais.

— De quoi étaient donc faits ces songes et en faisais-je partie ?

— Comment, même en songe, puis-je me soustraire à votre emprise machiavélique ? la nargue-t-il.

— Machiavélique ? Allons donc ! Je ne le suis point !

Elle lui donne une chiquenaude sur l'épaule et retourne s'accroupir dans le potager.

— Oh, que si ! Les mille gentillesses dont je suis l'objet, ainsi que les regards tendres et les sourires doucereux dont vous me gratifiez, enjolivent tellement mes journées que je ne peux plus m'en passer. Je suis devenu votre esclave bienheureux, madame !

Catherine des Granches rit de bon cœur.

— Si vous êtes heureux, alors soit ! Je veux bien être une disciple de Machiavel.

Le Malouin se lève et vient rejoindre sa bien-aimée. Il prend sa main et y dépose un doux baiser.

— M'accompagneriez-vous pour une promenade dans le jardin, l'invite-t-il.

150

— Avec plaisir.

Délaissant le potager, le couple emprunte un petit sentier qui louvoie entre les arbres. Devant eux, une couleuvre serpente avant de disparaître sous un buisson d'aubépines.

Depuis la mort de Shanhaweh, Jacques Cartier a élu domicile au manoir où il coule des jours tranquilles en compagnie de sa femme. Il a l'âme en paix. La douleur amère de la défaite ne l'habite plus et il a fait une trêve avec le chagrin…

Cependant, depuis près d'une semaine, une mauvaise toux l'accable. Cartier passe une main sur son front brûlant. Il a la fièvre… Lui qui a tant assisté les malades de la peste en reconnaît trop bien les symptômes. Il n'en n'a rien dit afin de ne pas alarmer Catherine.

«À quoi bon ! » songe-t-il encore.

Il se sait un vieillard à l'aube de son dernier voyage. Ayant bourlingué toute sa vie, traversé des mers, exploré des continents nouveaux, il appréhende cette expédition de laquelle, il le sait trop bien, il ne reviendra jamais.

Une ombre obscurcit un moment sa raison.

«Si j'avais encore juste un peu de temps… »

Le temps, hélas, ne le guérira pas. D'ailleurs, le temps guérit-il vraiment ou ne fait-il qu'enfouir les sentiments dans une mémoire qui s'efforce d'oublier les mauvais moments pour ne conserver que les bons?

Oublier? Il s'en sait incapable.

«André Thevet a raison, s'encourage-t-il. Mes écrits doivent informer les nouvelles générations d'explorateurs afin qu'ils n'oublient pas que j'ai tout tenté.»

Comme d'autres découvreurs avant lui, il a fait reculer les limites du monde. Il a suscité la curiosité des bien-pensants, mais aussi l'intérêt néfaste des ignorants. Il a planté ses rêves dans une terre hostile et dans des esprits obtus, qui les ont empêchés de prendre racine et de porter des fruits.

Il songe un instant à Pierre de Bellevoix, qui doit s'embarquer sur un baleinier en partance pour le nouveau continent. Il se rappelle la brillance de ses yeux posés sur les cartes qu'il a étalées devant lui, la curiosité qui l'animait, la fébrilité qui le faisait trembler, la fougue de sa jeunesse à peine domptée.

— Vous êtes bien taciturne, ce matin, remarque sa femme.

— Pas plus qu'à l'accoutumée, il me semble.

— Quels soucis creusent une ride sur votre front?

— Si quelqu'un se fait du souci ici, c'est plutôt vous, ma mie!

Catherine des Granches passe un bras sous celui de son mari.

— Vous avez raison. Je me fais beaucoup de soucis pour vous, Jacques. Vous êtes de plus en plus silencieux. Votre démarche est plus lente, moins assurée. Je vous sens las et fatigué. La maladie rôde, je le sens. J'ai peur…

— Chuuut… Ne dites plus rien, je vous en prie. Ne gâchons pas les précieuses minutes qu'il nous reste encore. Venez, allons cueillir les fruits de ce pommier, là-bas. Ils semblent si appétissants.

Bras dessus, bras dessous, les vieux amoureux cheminent vers l'arbre dont les branches ploient sous le poids de belles pommes rouges.

Pendant ce temps, accoudé au bastingage, Pierre de Bellevoix regarde disparaître le port de Saint-Malo derrière un écran de brouillard. Il n'éprouve aucun regret, car plus rien ni personne ne le retient à ce pays.

Il lève la tête vers la grand-voile. Dans les vergues, pareils à des singes agiles, plusieurs moussaillons s'activent. Le navire est chargé de victuailles et de tout l'équipement nécessaire pour une chasse à la baleine réussie.

— Alors, moussaillon ! lui crie Thomas, un marin à la barbe aussi blanche que la neige. Content de prendre le large ?

Pierre acquiesce d'un léger mouvement de tête avant de reporter son attention sur l'immensité de la mer qui s'étend à perte de vue. Jamais encore il n'a éprouvé un tel sentiment de plénitude. Un tel sentiment de liberté. Il ferme à demi les yeux et inspire profondément.

— T'as le pied marin, pour un gribouilleur ! s'étonne le vieux loup de mer en s'approchant de lui. Je m'attendais à ce que tu aies mal au cœur.

— Mon père était marin, rétorque Pierre.

— Peut-être que je le connais ! Quel est son nom ?

— Gabriel Montais.

Thomas fronce les sourcils, se gratte la tignasse un moment avant de tourner son regard vers la mer.

— Montais… Montais… Ce nom ne me dit rien.

— Il est allé au Kanata avec Jacques Cartier.

Le vieil homme émet un long sifflement.

— Ça fait déjà belle lurette de cela ! Pour qui maintenant travaille-t-il ?

— Je… je crois qu'il est demeuré là-bas.

154

Thomas le toise un moment en silence avant de laisser tomber, laconique :

— Si ton père est resté là-bas, aussi bien faire ton deuil tout de suite. Il n'y a que les Sauvages qui peuvent vivre dans ces contrées maudites.

— J'ai la certitude qu'il y est encore.

Le vieil homme renâcle fortement avant de cracher un jet de salive par-dessus la rambarde.

— Si tu en es sûr, comme tu dis…

Sans plus un mot, le vieux Thomas prend congé de Pierre, qui tourne la tête vers l'horizon où le ciel et la mer se confondent.

— Je te retrouverai, père, murmure-t-il dans le vent qui fait valser une mèche rebelle sur son front. J'en fais le serment.

Épilogue

En 1547, après son troisième voyage, Jacques Cartier renonça définitivement à naviguer en mer. Le 29 novembre de cette même année, moyennant une hypothèque sur ses immeubles, il fonda un obit qui avait pour but de célébrer, par des services religieux, l'anniversaire de la mort de ses amis et parents défunts.

Il passa les onze dernières années de sa vie entre sa maison de la rue de Buhen à Saint-Malo et son manoir de Limoëlou situé entre Paramé et Saint-Coulomb, à un kilomètre environ de la mer. Durant ces onze années, le «noble homme» fut témoin dans les litiges, arbitre dans les contestations, parrain de vingt-sept nouveau-nés et assistant de cinquante-trois baptêmes et mariages.

Lorsqu'en 1557, la peste décima la population de la ville de Saint-Malo, il y soigna les malades et assista les mourants dans la mort.

Il mourut de la peste le 1er septembre 1557 dans les bras de son épouse, Catherine des Granches, qui lui survécut jusqu'en 1575.

Son parent, Michel Audiœuvre, sollicita et obtint des magistrats de la ville et des représentants de la Sainte Église l'autorisation d'inhumer sa dépouille dans la cathédrale de Saint-Malo, où elle est toujours. La postérité se devait d'honorer la mémoire de ce digne fils de la Bretagne qui avait contribué, à sa manière, à l'avancement de sciences comme la géographie, la cartographie, la botanique, la zoologie et l'anthropologie.

TABLE DES MATIÈRES

Résumé
des trois premiers tomes

TOME I

Le vol des chimères,
sur la route du Cathay

Parti en mai 1535 à la découverte d'une route
vers la Chine, l'explorateur Jacques Cartier
se retrouve au Kanata. Avec ses compagnons
et amis, il passe un hiver difficile et sera con-
fronté à l'animosité grandissante du peuple
de Stadaconé. Shanhaweh, une jeune Amérindienne, lui sera offerte en cadeau. Durant
cet hiver-là, elle vivra parmi les Européens,
blessée à jamais dans son corps et dans son
âme par un garçon à qui elle a pourtant juré
son amour. Malgré les chantages, les intimi-
dations, la peur et la mort, les rêves des deux
peuples pourront-ils surmonter les tempêtes ?
De son côté, Jacques Cartier saura-t-il éviter
l'inévitable ?

TOME II

Les mirages de l'aube

Après un an passé au Kanata, Jacques Cartier
arrive au port de Saint-Malo, salué par les
vivats de la foule rassemblée sur les quais.
Dans cette foule, Gabriel Montais rêve de

faire un jour partie de l'équipage qui retournera dans ce lointain pays. Dans l'attente d'un nouveau départ, Cartier voit mourir les onze Amérindiens qu'il a ramenés. Enfermée dans un couvent, seule Shanhaweh survit. Selon son désir, Cartier place la jeune fille au service de la comtesse de Bellevoix, dont Gabriel est tombé follement amoureux. Les vies de Gabriel et de Shanhaweh se croisent et un tendre amour naît entre ces jeunes gens qui chérissent le même rêve : partir pour la lointaine Amérique. Seul Gabriel verra son vœu exaucé de bien étrange façon.

TOME III

Le choc des rêves

Lors de son troisième voyage, Jacques Cartier installe les bases d'une première vraie colonisation sur les bords du fleuve Saint-Laurent qu'il remonte, dès son arrivée, avec une poignée d'hommes. Gabriel Montais est de ce nombre. Cartier le désigne pour séjourner quelque temps au village d'Achelacy, dont le chef, Tagondha, le père de Shanhaweh, est demeuré favorable aux Français. Mais Cohenaya, qui a juré de se venger de l'absence de Shanhaweh, attise l'animosité qui se développe entre les deux peuples. Fait prisonnier, Gabriel est sauvé de justesse par Médhawéy, une jeune veuve, qui le prend pour époux. Pendant ce temps, Cartier voit ses efforts de colonisation anéantis par la bêtise de Roberval et ordonne le retour en Bretagne. Gabriel tente de rejoindre la colonie, mais Cohenaya l'attend de pied ferme.

JOSÉE

OUIMET

La Maskoutaine Josée Ouimet n'en est plus à ses premières armes dans l'écriture de romans à saveur historique. Voilà bientôt douze ans qu'elle se penche sur les vaines tentatives des voyages de Jacques Cartier. Dans cette saga romantique qui lui tient beaucoup à cœur, elle donne vie à des personnages authentiques, attachants et mystérieux. Professeure de français au cégep de Saint-Hyacinthe, elle anime des ateliers et rencontre ses lecteurs partout au Canada.

Collection Conquêtes